大方
sight

洛陽劫

唐克扬 著

中信出版集团 | 北京

图书在版编目（CIP）数据

洛阳劫 / 唐克扬著 . -- 北京：中信出版社，2023.7

ISBN 978-7-5217-5718-7

I. ①洛… II. ①唐… III. ①长篇小说—中国—当代 IV. ① I247.5

中国国家版本馆 CIP 数据核字（2023）第 081878 号

洛阳劫

著者：　唐克扬

出版发行：中信出版集团股份有限公司

（北京市朝阳区东三环北路 27 号嘉铭中心　邮编　100020）

承印者：　河北鹏润印刷有限公司

开本：850mm × 1168mm 1/32　　印张：8　　字数：140 千字

版次：2023 年 7 月第 1 版　　印次：2023 年 7 月第 1 次印刷

书号：ISBN 978-7-5217-5718-7

定价：59.00 元

服务热线：400-600-8099

投稿邮箱：author@citicpub.com

一成一败谓之一劫

——《隋书·经籍志》

他从睡梦中遽然惊醒……没一会儿，远方的天空就一片漆黑了，一切静得可怕，只有偶尔让他辨认出前行方向的微光。洛阳消失了，连带着它周遭的风景也遁入无形，前方，仅仅剩下数条巨大的河流纵横交错，他顺着河流的方向趺趺撞撞地走去，深一脚浅一脚地……

刹那间，闪电在天空划过，他突然瞥见，洄澓的急流中影影绰绰地满是浮沉波动的人形，载沉载浮。再一次剧烈的闪光中，他看清了那些人形，或衣不蔽体，或赤裸裸地满身青瘀，或举体都是恶疮毒疖。他们全都浑身湿透，面色青白，目光迷茫，陷没在傥莽无边的大水之中。他依稀听见他们的呼喊。汹涌的涛声中，这片段的呼喊就像是广大的宇宙里的一颗流星，消失，沉如永劫不复。

一

每次我梦到洛阳的时候，总会梦见自己在古代醒来，梦醒了，潜入一个新的梦中。在夜晚，我会瞧见一团柔和的、招摇不定的金色浮现在视野的中央，这金色间杂着朱红、明黄和深褐，摇摇曳曳，从容地涨满黑暗的天穹，宛如七彩琼林之间，举起万千花树。突然，也就是睁开眼的一瞬，这美梦溃散成了实景，造境消失了，一切的一切，原不过是一盏余息将尽的灯台，它细小的光焰时时变幻，跳跃成了不同的形状，就在眼前、身旁。

我是谁？我又在哪里？

侧身过去，我又看见了将开凿第六千八百三十五尊圣像的那方石壁，不知为什么，不管在哪个梦境之中，这个数字都是如此熟悉，它，投向秘密将要开启的地方，目下还是一片虚无……我，原来是睡在一堆柴草上，陷身在无始无终的空寂之中。洞窟里说不出的寒冷，让我只有向着那唯一的光明，在迷蒙的昏暗里，瑟瑟发抖。于是，我的记忆有些恢复了……又像是沉入了一个更清晰的幻境中。在身边，砍削平整的石壁已经预先着墨，分明是等待着我，等待着拂晓时的又一轮工作，石壁预先着墨，为的是将来刻画时看得清楚；烛火光焰所到之处，黑油油的一层宛如明镜。凑近细看去，那光亮的一层石面渐渐变得透明，看得清下面细小的纹路与肌理，就像溪流与沟谷，在溪流与沟谷之上是群山起伏；再看进去，群山之间还有小小的、有如鸟巢蚁穴般的城市村落，宛然是万千世界……

我长久地注视着这一切，眼也不眨，唯恐遗落些微细节，可那薄着脸颊的一壁石头，碰上了便蓦然冰凉，总感觉这石壁还是不可逾越的巨障，令我肉身的知觉慢慢苏醒，明白这深入的幻象不能持久。这巨障阻碍了无远弗届的目光，又令人双目酸痛，眼睑颤动，以至于流出泪来。可我兀自不顾一切地注视着，尽管泪光糊住了眼球，总还能从斑点的光亮中窥见那个灰蒙的世界，尽管了无生气，却是细节宛然……

渐渐地，像往常那样，在这艰难的对峙中，那堵巨障像春阳下的坚冰一点点融化，缩小，最终分崩离析了，我感到，自己像从坚冰中释出的空气，肋生双翅，从这世界的顶端一跃而下，在苍穹与大地之间御行如风。遥遥地，我看见有人群移动，我看见草场上奔驰的马匹了。我不由心旌摇曳，飘飘然而足蹈之，我用粗粝的手指，在虚空中划过深山大壑，向那人群迫近，我用指尖撮起那纤尘之末，细细打量琢磨。

可是冥冥中一阵阴风，拂过了烛火，像是一片乌云掠过我的世界，瞬时间，那点点微尘又消散得无影无踪。

我叹了一口气，终于沉沉睡去……

二

那么还有第二种梦境。从一个稍高的视角，我时常看见一个工匠，那个人，他，可能正是第一种梦境里的自己，曾经在北方的石窟中役作过，如今却被选遣到洛阳最大的工场执事了。不止一次，我在永宁寺，洛阳最壮丽的殿宇里，看见过这个工匠，不知为什么，我看见他的时候，他总是挨在庑下的石阶上，像是暂时将息，却又一脸惊恐，喘着粗气。

他形容枯槁，衣帻破敝——纵然如此，周遭大多数工匠也没他这么好的运气。我这一次看见他的时候，他并非镣铐加身，至少，暂时是个居高临下的观察者了。就在他脚下，好些无保的刑徒，不免还佩着颈钳，委顿于尘土之中。这些做重活儿的人们往往衣衫褴褛，有些甚至赤裸着上身或下身，只有一块污秽的兜裆短袴遮羞。他出着长气，胸膛起伏，算是在将息休养，那些可怜人儿却抬不起头，他们偶然四目相交，大多是神情漠然，像是灵魂出窍，全无统摄；有些，眼神里还残存着一线生之热望，却又分明混合了几分对运命的怨懑……

没有太多征兆，我就在睡梦之中来到了这里，这座城市分明就是洛阳。这个名字，是最让人萦思的，却又是不得复见的。

河水泛着金光，披染着河心的芳洲，宛如一团锦缎里洒落的珠翠，映出眼前这座侈丽的空城，在午后的阳光中摇动，在河水的倒影里摇动。在我有限的生命中遇见的人们，在这一刻，都倾城出动了。在水岸边如茵的青草地上，他们忘情地踏歌舞蹈。

我第一次看见洛阳的时候，仿佛是在城北的邙山上，河水如一道闪光的白练，提示着前方的城市。我依稀还记得，那是从平城北归的路途上，押解队伍的健儿告诉我们，前方便是此行的目的地了。这一走已经不知是走了好几十日，看过好多风光，路过好多市镇之后，我们渡过一条大河，地势渐渐高峻。自此开始，沿着山间溪谷的一条大道，隔不多远，就会有一座气势轩昂的华厦来迎接我们了，是为一种特别的、接待达官显贵的亭驿。朝着一个个驿站的方向，一行人不断转折、上行，穿过树丛，隐约开始见到光亮的远景里点点金色的闪光，在我们前行的方向上不住跃动，当树丛渐渐变得稀薄，那金色闪光也变得分外夺目。翻越最后一个小山包，所有人都停下稍歇，喘息不止。

——就在我们面前的山脚下，一座金与灰相间的巨大城市遥遥可见。

同行人的队伍中不禁一阵骚动，对他们绝大多数人而言，这似乎就已是人间佛国，我们这莫非是到了极乐世界？

在梦境里我只有晦暗的一生。一片蒙昧之中，我从未见过这么巨大，又如此光明的城市。土黄色的夯土城墙绵延不绝，少说也有十里之长，城内的青色屋顶，犹如海涛般翻卷，无边无际。那金色的闪亮，原来是宽广院落中，一座无比巨大的佛塔的尖顶，虽然城墙尚有数十里之遥，在清晨的日影流转之中，那金顶的一抹亮色却格外生动醒目。再细细看去，佛塔不是一座，而是两座，三座，四座……终于，数也数不过来，它们想是镀金的塔刹铜榘，或有装点五色琉璃，在城市的天际线上光芒闪烁。

这时候，我看见了一张熟悉的面孔，同时，又是一张富有魅惑的面孔……就在身后，一骑人马从后面小道上急急驰来，越过我们这行人。没有想到，马的主人居然是几个年轻女子，窄袖紧身，素面朝天。让工匠和兵士们都瞠目结舌的，是这群女子都做男子打扮，着内官的服饰，在北方的平城，这真是闻所未闻啊。只是她们不都戴帽，发髻反绾，以几朵野花代替了女子头上寻常可见的步摇，在飒爽的仪容里，平添了一分女儿风情——为首的那一个，竟然看上去有几分面熟——就好像是在另一个梦境之中，曾经遇见好多次呢。

她咯咯笑道："难道你们竟不知这是洛阳吗？"

洛阳！

还没有回过神来，如花的笑靥从面前消失了。说话间，这几个年轻女子已打马远去，山道上袅袅的余音，是她们宛转的歌吟：

青阳二三月，柳青桃复红！

可是听她们笑道："难道，你们竟不知这是洛阳吗？"

——难道，我竟不知这是洛阳吗？对啊，在代北，黑暗的石窟只是一个不会醒转的旧梦吧，是一段错乱的记忆。

是哦，即使在前生，我也是南边人，是中国之人，我的家，绝非一开始就在北荒的松漠里。在这一段梦境中的旅途上，我们的前方是洛阳，这才是正确的方向。而今的都城洛阳，风流渊薮，衣冠人物，已绝不逊于南朝了。

更南些啦。离故乡更近了。三月的春阳，洒遍原野上盛开的五色鲜花，令我那冰冷的心竟有一丝复苏，也浮现了一线期冀。

洛阳是明媚的，而漠北的石窟又是黑暗寒冷的。在那或者金光璀璨、或者深不见底的场景中活动的人形，到底哪一个，才是真正的“我”呢？这两个梦境是全然不同的，洛阳美好得那般不真实，是“他”和他们的，石窟的辛勤却是近在咫尺的，才像是“我”的，和庸常此下的，但奇怪了，这两幅画面又交替着出现，让我头晕目眩。我必须设想，“我”和“他”之间得有某种关系，既符合常理，又不可思议的关系，好让它们间有确凿的逻辑，才不会坠入非此即彼的困难选择中——哪个梦，才是更真实的呢？我苦苦思索着，至少，在没有一个头绪之前，我不愿意就此从梦境之中抽身而出。

无论如何，每当我看见“他”的时候，好像就又活到了无数段过往的人生之中，它们像是循环不已的景片。开始时，眼前经常是战云密布，滚雷隆隆地从耳边驰过，灰白色的冻土的荒原看不到尽头，无数行将就木的人，蠕动在壕堑里，堆积得比壕堑还高，哀吟着，等待着最后一刻的召唤。我被这可怖的“人”的运命惊呆了。

“他”也便是“我”啊。

我屏息静气，一时没了呼吸——可是一转瞬，世界似又恢复如常：我静静地走在无人的溪谷里，白云赊缓地从我头顶的晴空里流过，青山鸟啼，春光无限。

我是在洛阳活过来，又在那儿死去的。

我生于一个卑微的时代，人命如蝼蚁，人生如大风中的浮沫。但是，的的确确，我的经验并不平凡。我曾目睹了划破黑暗的光明，以及最终摧毁它的煌煌的火焰。那种印象是如此鲜明，千真万确，以至于它必须得有个办法留下来。

只是，我还得先爬进深不见底的昏暗里，去瞧个究竟；在那里，在那些个默默闪烁着的梦境里，人们却无由逃出他们各自铁桶般的迷局。

必须，必须有人能够将我从这段梦境中拯救出来。

从无边的幻想里，从晦暗的石壁后面。

目录

第一章

一

每位君王都喜欢为自己添一项流芳千古的工程。自从建元初年太武帝敕建代北万佛洞的石窟寺，他就已在这暗无天日的洞中为大皇帝——敬称为“圣人”“大家”——而役作了。之所以叫万佛洞，是因为监理工程的人说，不论圣像大小，只有数目到了一万以上，他们才能重获自由之身。于是，这许多年来，他也就一直在嵌入石壁的鹰架上佝偻着身形。可是，工匠们多少知道，官家是在哄他们，因为素常没人会用到成“万”的数目。

当初同被掳来的南朝工匠二百余人，而今余下十之二三都不到，剩下的那些，并没有活着走出洞去。

十七年时间，工事已经完成大半，经他手制作的圣像总也有四十尊以上。起初，为了宣示佛像居所的圣洁，工匠们只能草草过夜，依出身尊卑，睡在沿石壁上阁道边搭起的席棚里，或窟室的檐下，后来，工事进度日见紧张，一切法度也就松弛了，索性，监工就让他们搬到了石窟的耳室中，方便施工不辍，只是每日每晚，才依序校点人数：

黄阿四！

诺！

刘狗儿！

诺！

少数人没有自己的大号，他们或是京中领民酋长的部曲，依着部落里的叫法；或者，本来就是没有汉名的胡、蛮，名字只是乱起的，叫多了，往往也就成了固定的称号。十数年来，很多人已经丢失了他们的本贯，这些，都是赞助工事的大人物们不甚了解，也没有兴趣知道的，万佛洞的工事旷日持久，僧伽既未住持，贵人们也不常到窟中巡视。但凡饮食和溲溺的时候，便由监工的鲜卑兵士用铁链将他们穿上，一个个拽出洞去。

他是汉人，没有名姓。

起初，兵士们用铁链穿上这些工匠，不过是为了防止他们逃走，而今就有别的缘由了。十七年来，他和这群工匠们在洞穴中夜以继日地劳作，不论白天黑夜都要点起烛火，眼睛已经变得不习惯观看远景，也不大能在白昼视物。

他们睁眼闭眼，看到的，都是眼前黑黝黝的石头上的一横、一竖，至多，不多的石像要上点儿颜色，但是大多数人都只需干一种活计，擅长雕凿的，只会整日里叮叮咚咚，有的人就要整天地搅和着一大缸红色、黄色、青色……只有少数有经验的都料师傅，活得已经很长了的那些，才能有机会指点整个儿的篇章布局。

偶尔有人要出洞去，都得格外小心，别让已变得炽烈无比的阳光，一下弄坏了他们脆弱的眼睛。刚开始的时候，不止一次，这种事情曾经发生在逋逃的工匠身上，而如今，这些苟活者忍受了十数年的穴居劳作，已经变得像老鼠般怯于光亮的世界了，就算是没有镣铐加身，他们也需要万分的勇气，才能向外跨出一步。十七年来，洞外的天地变了什么模样？对背井离乡的大多数工匠们来说，只余记忆里一点缥缈的影子了……这影子多半带着昏黄夜烛的光晕，飘摇不定，真幻难辨。

不知道何时起，就这样，他回忆中的世界变得一片金黄了，和现实中那昏黄的灯台莫分彼此，一个又一个梦境，都是同一种单调的颜色。在白昼，总还有拐弯抹角溜进洞来的光亮，连接着外面那喧嚣世界的秩序，监工兵士的呵责怒骂与叮咚的锤凿声交错。而那金黄的夜晚降临时，所有的声响都已睡去。

从他栖身的那条破草毡的位置，一睁眼，就可以看得见壁龛里守夜的灯火，它的光亮于石壁前静默地摇曳，令得洞窟中的一切晦明有别：被烛火照亮的地方，看得出工事未毕，石龛里面，有那难分彼此的佛的微笑——大多圣像，面形都肥瘦停匀，光颜圆满，双目细长，两颊丰颐。阴翳里更深重的阴翳，则是未事雕凿的石龛，在岩壁上留下了孔洞，光明与黑暗，随着空气的波动时消时长。

十余年来，他常在夜晚的睡梦中醒来……

因为寅时就要早早上工，日入后没有多久，大家便将息了，就算是工程紧张的时候，到人定时分，大多数工地上也就没了响动。可大多时候，他一夜都要醒来好几次，一个两个时辰地，抬眼注视着这无定形的光亮，看它们是西天里变幻的云霞，是村北头的优谐与说唱。一开始搜索枯肠，与世隔绝，如今他直看到独处也兴味盎然，不禁，忘却了真实而繁复的人世间，忘却了日和夜的区隔，自己当独醒，还是睡眠……

然而，长夜须有尽时，金黄的夜晚，每随那灯膏燃尽而消散，他不能不惊惧地想起，不不，他并非睡在自家后院的柴草上，沉在一个松软的梦里。他每每不自禁地想起这漫长的洞穴生涯的“最初”来。

虽然很少有人叫他，他是有自己的本名的。“最初”是什么样子？他已几乎记不得了，“最初”甚至还不如眼前这一片昏蒙看得真切，但他的确记得，“最初”的时候，他绝不是睡在这冰凉石壁旁一堆破草席上，最初，他是有妻子幼女，有自己茅屋小院的南朝人。“最初”的真实要回到十八年前，大举南掠的胡人烧毁了他们的山村，强暴了他的爱妻，诛害了他的幼女，又将全村的人口差不多屠戮殆尽，只不过是因他的石匠手艺，他才侥幸免于一死，才被辗转遣送到这朔北的荒山中营造石窟。

无边的晦冥中，一天天日子流逝，并无差别，尽管“最初”的那一切故自刻骨铭心，那真实的“原本”是什么模样，竟已无从知晓了。他可以回忆，却无法感知，他需要一个形象，而那些原本残破的形象，却在这昏暗的洞穴里渐次消散，教一口气尽吹散了——充盈心头的仇恨，一点点地，让苟且偷生的惫怠抹平了。

无数次，他曾在冰凉的洞穴地上刻画涂抹，漫无目的，似乎只是想要记住，被掠北来后流逝了多少个春秋。可是十七年后，连妻子的模样都已经在他意识中变得模糊，有朝一日重返家园的希望，变成了蠕虫般日日喘息下去的残念。每每在黑暗中思想及此，他平和的心境就备受困扰，他不能像刚来时那般号哭与詈骂，甚至已不会黯然流泪……共为灰土的誓言，本身慢慢变成了灰土。

虽然是了无生趣，对死也无畏惧之心，他却不能就这么糊里糊涂地就命啦。如果死后能和妻子儿女重逢，那或是件好事，可是在同来营造万佛洞的工匠们那里，他隐约听到议论说，人死并不能干净，古往今来的死者以亿万计，并不是所有的死者都能遂愿与他们的亲人团聚，那些居无定所的孤魂，依然游荡在三界之外，苦苦等待轮回的差遣，只有生前功德圆满者，才有幸升入极乐世界，免脱来生做牛做马的苦难。

他虽不信佛，却渐渐相信这话并非全无道理。无数回他亲眼看见，就连那些个不知礼数的鲜卑杂胡，也不能对轮回的报应无动于衷。这些胡人平日里凶恶无行，但在佛事之际，全都变得诚惶诚恐五体投地——这，就是因果教化的最好见证吧，大抵所传莫妄？十数年来，胡人朝中的皇帝已经换了几番，营造佛窟的资助却不见少，一躯圣像开凿之前，常都是冠盖云集、贵胄纷临。已故去的皇太妃生前发愿向佛捐凿一窟，便驱使数十工匠役作了整整三年，而寻常官宦人家，也有万金以上的捐助。即便是下等人民也不甘落后，家中往往斥除身影，大设福供，小窟里每一躯圣像所附的造像题记，都密密麻麻，写满出身寒庶的“邑子”名姓。

身无分文，他自然无力捐认一尊佛像，可是从知道捐造圣像可以超度亡灵，他就已经想到，如果有一天能够在造像题记里加进妻子的名字……甚至，再在供养人像中加入他妻子的形象……或许，就可让仍在泉下游荡的她早日飞升？这个大胆的念头，让他怦怦心跳，使他坦然活下来，让他不惮役作，甚至让他变得不再仇恨那些个胡人。

兰芝，兰芝。

他喃喃自语，这个名字已经让他念叨了十数年，他就算忘了自己的也不会忘记她的。而如今，让这个名字被永远记住的机会已经来临。

二

十七年前的那一个冬日，载着这些手足相缚的汉人工匠，劫掠北归的胡人马队正越过长城。那时北方已由胡人占领，汉家的烽火碉垒，都已残破为土台断壁，看起来甚是触目惊心。他记得，那时候，他曾看见衰草弥漫过满山遍野，天边有浓厚的灰白色的积云，预示着一场暴风雪即将沉默地来临。当马队牖车颠簸着，从坍塌的夯土障墙豁口间越过，同来的南方工匠虽不清楚他们正越过胡汉天堑，但亲见墙外萧索寂寞的山河，都不由生出一种不祥的预感：这辈子，他们恐怕是再也回不了故乡了。

他还记得，那一日，在兰芝就命前的一刹那，她的脸变得落雪前天空一般灰暗，她的形神垂散，他看得见，她透明的皮肤里根根青色的血管，逐渐变成没有生命的黑色……

他还记得，在兰芝死前她说过，从今与君幽显异途……如果来世我们再见，不知道是变牛还是做马，还是在天下哪个州县再世为人？来寻我时，你该看得见，我是深褐色的瞳仁，乳边有一颗红痣。

她最后的微笑，一个惨淡的、模糊的微笑……

然后他们走了不知道有多远，向北，向北……

被投入石窟的第一天，他挨着一个胡人工匠睡下。这胡子拉碴、蓬头垢面的老胡人有姓无名，面目凶恶，别人都管他叫刘胡。大多工匠言语未能相承，而刘胡会说汉话，能做通译，因此成了他们这一群工匠的头儿，据说，刘胡原本是河套间逐水草而居的匈奴人，在与代北的鲜卑人作战时，他的部落落败，自此沦为奴隶，在万佛洞服役也已两年有余。

老胡人，是他第一次如此近地看到的“外国人”——原来，他们体肤形貌，与汉人有异，但也有高低贵贱之分，眼里神色，也有欢喜哀戚。和别的工匠不同，刘胡从不安于沉默，纵使多年的奴役生活似乎也不曾改变他的暴烈脾气，除了睡眠和上工时间，每隔片刻，刘胡便会站起身，拖着铁链走动，时而“汉狗”“鲜卑奴”不绝于口，时而用他才懂的语言高声叱骂，时而，他狂暴起来，手足挥舞，用脚踢踏，那些挡在他身前的工匠纷纷避让。那时，他尚有求死之心，因此对这一切竟并不感惊惧，只是油然地心生厌恶，忧戚在貌，嫌于颜色。

没过几天，胡人头领便传唤这批南掠来的工匠们，画名唱喏，上工干活。无论他们如何咆哮怒骂，他只是一味以沉默拒之。一个人在洞中挨了不长，便有监工的鲜卑兵士进来将他拖去，强按在石地上一顿鞭挞，直打得他在地上号叫翻滚，皮开肉绽。那是他生来第一次遭到如此毒打。好在头儿显然还想留他干活，也不想往死里整治他，而他竟也怒气上升忘了疼痛，待把住他的兵士稍一松懈，他便一跃而起，一头撞向墙壁。

饶是众人及时出手阻拦，也让他将自己撞了个血流满面。监工大怒之下，举刀比划要杀他，他居然又疯了似的撞向刀刃。见他如此倔强，监工的却不再鞭挞他了，只是用铁链刑钳把他牢牢拴在石壁上，日夕找个兵士，给他灌食酪浆，也不再急着催迫他干些什么了。等他伤口愈合，身体稍复，便扔给他几件不算锋利的小工具，扁子、凿、錾，但凡有开料、粗凿一类的简单活计，就示意他稍稍干些，他纵不服从，兵士们也不再勉强了……

不知何时起，他竟开始机械地挥动双手了。

他也奇怪自己是如何屈服的，不全然是出于畏惧，倒像是多年来习就的，使用工具的本能，也像是给这虚空的时间某种报偿。一开始，錾痕只是少许，渐渐扩展到洞窟的全体，同伴工匠默默进来，继续铲平他工作过的石面，打剥、斩砟，一切大体有序，就像他们亘古以来就命该如此。这时，在身后，却总有一双脚步在不远处逡巡，他知道，那是监工的胡人都尉，或许怕他又干出些出格的举动——他自尽的念想其实并未断绝，只是有时神思恍惚，竟不知是身在何处，就像一片暂歇在原野上的飘蓬，风再起时，又该会去往何方？

那一天，他想着想着，忽又觉得天地间一片茫然，得着了监视的人走开的一小会儿空闲，便欲了结自己。

他高高举起铁錾的手，却被另一只手抓住了。

“蠢材！竟然自戕性命！”

回过头来，竟是那一贯凶恶的刘胡，老胡人注视着他的眼光中，露出一丝他从未注意到的悲悯。挣扎之间，他注意到，老头儿的手掌居然缺了两指，断指末端处，有触目惊心的深色结疤，他从未注意过，平时握持工具的时候，刘胡只能有剩余的三指使力，以至于整个手掌都变了形。就是这样，他欲从刘胡残缺的大手中挣脱出来，却连一丝动弹的余力都没有。

“痛吗？”他不禁怯声发问。

“你我的痛只一时，而她的痛，却是无边无际……”

“此话当真？”

“她的孤魂，多半还在四际之外游荡，浑无依傍。你要真的为她着想，就分当尽心造作。这是获致功业的大好机会，你又怎可如此糊涂？”

“我不信！”他睁大了眼睛抗辩，“为何是我们？我们从未犯下些许恶行啊！”

“你当然不信。有些事完全超乎你的视界之外。有些事，任你睁大双眼，也是视而不见的。”

“你倒说说，它们在哪儿呢？”

“在这透明无碍的石壁后面。”

老胡人分外认真，但黝黑的石壁，看上去全无半分通透的迹象，他迷惑了。稍稍转头，在镌刻在石壁上的线刻里，他便看到了一个晦暗广大的所在。

仿佛是为了解答他的问题，在阴森可怖的“地狱轮回图”里，一个没有面目的女子扑入他的视界，一大群露出獠牙的恶狗，紧紧随在她的身后，一群牛首马面的鬼将，都着重铠手持金瓜，驱赶着这群凶畜，正在越过一片茫茫无边的大水。

她，仰面朝天，看上去像是在奔走呼号。她无望地挥动着双手，像是要从环绕着她的大片黑暗中跃出画面，而她的去路上，竟是一排密密麻麻的刀尖……他捂着眼睛，不敢多看，久了，再看石壁，便情不自禁地坠入了这个空间，一路沉入那片茫茫大水，渐至没顶。在这个没有光亮、不知深浅的空间里，恐怖的画面消失了，他慢慢不觉害怕，只是越发寒冷。万籁俱寂时，他似乎听见了无数的低语、抽泣、怨诽和窸窣的声响。

疑惑的目光，最终又转向刘胡，老胡人的目光一向令他生畏，此刻，他们四目相对，刘胡的瞳仁里，却有种他此前从未发觉的恐惧，像是从不见底的空洞中涌出，涌向他不知道的地方。

“此世之外还有万千世界，此生之外还有亿代人生……吾辈就像无底小船，行驶在这深不见底的大壑之中。你无由知晓你的妻子竟是去往何处。你甚至不知，‘你’要去往何处？——你们俩，大抵是不在一处的。你们会各下各的地狱，各遭各的应报……直至清赎前世孽业，永获超度……”

从刘胡那里，他明白了佛的基本道理，虽只是一点粗浅缘法，便也足以吸引他的注意。他识字不多，刘胡却执意教他三十二个字，反复书写，说这是基本经，温习了不无好处。他记下了，那三十二个字的模样也渐渐地刻在他脑海中。他毕竟生来聪颖，慢慢，随着识字渐多，石碣题记上大多数字迹的含义，也能认出不少了，渐辨几分佛理。

无论胡、汉，这么多大人老爷、优婆塞、优婆夷……都虔心向佛，对那天堂世界的艳羡，想必绝非毫无依据？小时随阿爷学石工，多半只是刻下寥寥数字的牌铭，有时不成笔画。穷人下葬，殡丧的葬仪甚是简陋，不过是一方木案，外加一盏清水。那时适逢乱世，盗墓成风，即便富人也不以厚葬为意，仅有的几次为大户人刻“买地券”“镇墓文”，多出的只是一篇讲究的文字，一个略事雕凿的碑首而已，就算工毕，也只有乡绅老爷们才懂得其中的深意。那时，他又还青春年少，只知人死灯灭，魂魄散尽，至于死后的世界是个什么模样，他从来就未去认真地想过。

十七年来在万佛洞中，他不由又捡拾起这个疑惑来，即使仅仅是为了冥冥中浮沉的兰芝，他也不能对刘胡的警告无动于衷。他渐渐信了，此生的苦楚，便是为了清偿宿世之罪——因为“礼以教世，法导将来”。他就是不大明白，此际恶业发露，究竟是因何时犯下的过错？无论怎样，爱慕憎怖，已经在他的灵府中轮转，心中的劳结一点点打开。于是，他立下平生的誓言，要为了那幽显异途的亡人，立一桩救赎的福业。

谁敢保证，那未及刻画面目的女子便没有一双褐色的瞳仁呢？

三

据说，正在兴建的南都有着较多的沙门，他们在那营设更大的福业。他由此知道洛阳的名字，因为那里批次由此抽调工匠，身边的工事一度遭冷落了。听闻，国朝的先烈暂厝在代都的时候，经历了好几次崇教灭佛的起伏，万佛洞的营造断断续续，直至百年。也因为这个原因，至今石窟寺内也还少人停驻，沙门统和邑主只是在工程首尾莅临，方得一时冠盖云集。纵然场面浩大豪奢，贵人们长得什么模样，普通工匠是无由得知的。

得空的时刻，他便仔细揣摩题记上的名姓。在为数不少的造像题记上，他曾发现许多出身寒庶的邑子，捐额大大少于寻常，他们该当都是代都普通军民。再端详那细墨线勾勒的行列，发现密密麻麻的名姓之中，或有这里那里的空缺，有的凹下一格，显然是将石面抹去，重新镌刻的。听说，那都是发愿者未必交得起他们许以的数目，过了一定期限，主持奉献的邑主或邑长，便会将这些缺席者的姓名，从这石壁上一笔勾销。

——这空缺之间就是他的念想。他打算，就在类似的地方找个机会，刻下他妻子的名字，石壁上冰冷的一切，便也就有了托付的意味。虽然监工终会核对簿书，但一来他们未必仔细，二来在雕凿石壁的三两天里，名册是交由工匠保管的，只要能想法弄到笔墨，他便可以把他妻子的姓名填充在那名册里，可以确保核对时万无一失。

他的心愿不止于此——这尊眼下由他主事雕凿的圣像，他想把它刻成他妻子的模样！

这个存想源自他手刻出第一尊圣像的那天。

他本未谙造像之术。从前在南朝当石匠时，他只是学会在墓碑上刻写碑额和姓名，除此之外的见识，不过是看到过邻村师傅刻的一只石头“狗儿”——他们告诉他，那是放在死人墓穴之中，吓阻四方游神的。更讲究的物事，像是伍子胥、钟子期一类戏中人物，就不是山野鄙夫可以想象的了。听祖辈说，两淮之间久经丧乱，由于盗墓所致的风险，百十年来，渐渐不大再有人，愿像太平时节一样大举营作墓茔。十多年来，只听说过一两次例外，那都是邻村豪强——他们下葬时，会在邻近州郡请来世家相传的名匠人，依着他们老祖先的格套，雕镌画像，树立高大的墓表，靡费多达万金，只是乡村工匠的手艺显已生疏，只能在画工描绘好的石地上，剔除阴地的浅浅一层，造作出不甚美观的图案，图像生拙，只是勾勒出故事的大致而已。

而如今，在刘胡的悉心指点下，他这久历丧乱的山村石匠，居然和别人一样，亲手雕凿出了一尊足尺的佛像。在朔北的万佛洞中，他第一次看到胡人习好的雕像法门，虽然未觉亲切，也是暗自惊诧的：大到三倍、五倍常人尺寸，小到半手大小，工费不同，或者足身的圆雕，或是浅表一层，都比汉地要更来得工谨、洞彻。

刘胡告诉他，大致说来，磨砻石材之后，还有雕镌、剜凿诸功，一层层，分块面，才好让圣像从虚空中转"活"。虽然初次尝试，细节还得由老匠人加以琢磨，不过祂的形容已经宛然如生，旁观者见了，纷纷夸奖他的天赋。没花太长时间，他便熟悉了这门手艺的入门心法。他自己也不甚明白，一方朴茂的顽石，为何刘胡加以指点，就可以在他的斧凿下，化为一尊浅笑着的头颅，使得这狭小昏暗的空间蓦然生辉？

狂喜之余，他的第一个念头便是，为什么他不可以雕凿一尊石像，有着兰芝的脸孔呢？不管它是供养人，抑或就是那"万佛"中的一副脸孔？如此，人们步入石窟，就能永远地看到他的兰芝在晦冥中的微笑了。起初，这个胆大包天的想法，蓦然让他热血上涌，脸红心跳，难以入眠。他知道，那并非万万不能的；他甫一发愿了，这个想法便从此“照”在那空白的石壁上，永日不息，彻夜长明。

自此，他完完全全打消了自戕的存想，开始一心一意随刘胡学艺。让人惊异的是，他学什么会什么，和其他工匠比起来，进步堪称神速；因为粗识文字，抄写愿文的过程中，他更受益匪浅，很快，就成了工匠堆里识字最多的。他发现，原来每件工具自有名目，各有各的用途：棰、斨、凿、錾、剞、锪、錆、镌……心思有限的人，光是听到这些名目早已迷乱。别的匠人最多依赖悬垂、矩尺，但他的念想却分外深邃：无论什么工具，在他的手中都用活了。动起手来，别人只知一味减损，他的指间却在增益丰饶，如同冥冥中走漏了什么不二法门，突然为他醒悟。

一念之下，他便能凝神如注。

如春风般，一次一次，那神圣的音容自沉睡的石料中拂醒来。

甚至，他的愿念也瞒过了师傅。这个汉人学徒的天赋，让刘胡由衷地惊叹，但他也窥不透他的学生心底里的这个大秘密，猜不到他情绪上微妙变化的缘由。

刘胡只是注意到，相邻而眠的这个南方蛮子，常会在夜半苏醒，偷偷地溜到石壁前摩挲那佛的形象，仿佛一切天机待启。他看到，夜半起身的这个人，手指总是神经质地颤抖着，滑过石壁上那些为躯体所绷紧的衣衫裙带，停留在模糊的、有待精雕细刻的佛的颜面的起伏上，贴紧，松弛而又颓然落下；然后，他会转过头来，露出诡异的面容，并不是打量他夜眠的伙伴，而是注视着空间里不可知的某处，久久。那正悄悄窥视着他的老胡人，每当看到这一幕，不由自主地，会从心底发出一声长长的叹息。

尽管身体日见消瘦，思绪愈发纷乱，却没人能挡住他发狂如魔，一切仿佛足慰人意。很快，他就到了无人可教的境地，只是自己和自己有些计较，就在技艺愈发娴熟的时刻，他开始感到未能尽善的痛苦。他，已经有了起码的形象，但仍需要一个与众不同的形象：兰芝的形象。经过了数次失败的尝试，他开始发现，为何他们数百工匠雕凿出来的，或多或少都只是一个相似的面容？

当他第一次看到经自己双手凿出的佛像，除了备受鼓舞，也有种奇妙不祥的预感：复制一个已经死去的人的模样，或许，是个荒谬的存想吧？为何，与他近在咫尺，这佛的笑容是如此具体而微，同时却又永远是那般遥远，那般不着边际而不类常人？也许有一天，这千锤百炼的笑容终于可以是兰芝的，但它也似乎可以是这世界上任何一人的，唤不起任何对此生、此世、此下人事的体认。更有甚者，当他在心底里将这笑容比拟于兰芝，并竭力将它向“正确”修正时，他也正渐渐忘却那个原本“正确”的形象，情不自禁地，他会将它混同于万佛洞里万千相类的面容……

每当他凝视石壁上已经雕成的佛像的颜面，久之，便会感到头晕目眩，意乱心烦，那形象时而像一片乌云，时而又像通过这乌云的一束阳光，一时间，将他的心绪照得通明无碍。他不由伸手去摩挲自己的面容，或哭或笑，时常在深夜里嘶喊着醒转。

又是一夜，他从噩梦中蓦然醒转，却发现，洞窟的一角像是光亮了许多。他情不自禁地怀疑自己仍在梦中，但这一次，他却看到了另一个人，一个他从未见过的形象，胡子拉碴，蓬头垢面。大为惊惧之下，他忽然又明白过来，不禁哑然失笑，那人原来便是他自己啊——很久以来，他第一次看到了自己的面孔，一切，都是因为石壁上新施了格外油亮的一层墨，这是从前不曾有过的，在夜烛微光下，石壁宛如明镜般，反映出了洞窟内的种种。他愕然，镜中的人也愕然，他失神，便看到镜中的人茫然若失——他倏然若有所悟。

老胡人的声音又在他的内心深处响起：

用心。你只需用心，除此之外别无捷径。用心之后，这石壁便不再是你的阻碍，乃至世间一切障蔽，在你只是透明。你便可以穿越尘世，像一叶轻舟，抵达那彼岸世界中的声响。

佛的容相便在那里。但祂的真相却未必显现。神道幽昧，变化难测！你必用心，用心即是用眼，用眼即是用心。用心之后，便会轻易进入这石壁之中，通达娑婆世界的万千形相之间，你入石壁，便是佛出石壁，懂了吗？

他这一夜都没有睡好，在那明镜般的石壁前，他做出各种所能想到的表情。他惊讶地发现自己作震怒状时，眉心虬结，瞳仁洞显，皮肉的皴皱宛似百叠衣褶，而双目犹如炬火般可怖；他又学佛的微笑，随着镜中人的唇角上扬，用手在地上的灰土里划出浅浅的一道，看到自己庄严而持重的模样，随即不自主地咧嘴一笑，他笑经历丧乱的自己如何还能笑得出来，笑自己何容笑得不再像自己。恍恍惚惚，又想到，镜中的人或许已并不是他……而这思念转动时的他，又何尝是他！他突然感受到了佛心头的深悯，这悲悯于天下众生就好像那身外的“我”看这镜中人……

一下子，洞窟中似乎光亮了许多，佛的浅浅一笑，便像是整个世界。

四

他的技艺已崭露头角，慢慢地，他经手雕凿的圣像变得与众不同，别具一番生意。这一点，不光是同为役作的工匠们看出来了，连监工的鲜卑兵士也开始对他另眼相看。时常，那些能听懂汉话的军士，会好奇地聚拢来，听他工余讲述诸葛孔明“刻木为羊”的故事。这故事听刘胡讲了多次，又掺和了小时在淮南听来的传说，从他口中讲来格外动人，给他手上的功夫增添几分光彩，令得那些围观他工作的人，不由生出由衷的钦佩。

因他劳作辛勤，无须督促而从不替懈，监工不再呵责他，也不再频繁地检查他的进度了，他负责的石窟，时常昼夜不息。在昏暗的烛火下劳作时，他头也不抬，饭也顾不上吃两口。他如此不类常行，就连刘胡也不清楚个中的缘由。

大伙儿想，他大约是痴了，傻了，疯了。

只有他自己知道这个秘密。兰芝的名字已经刻在那石壁上的邑子名单里许久，这个天大的秘密，监工看来并没有察觉，让他对自己的计划更加自信。他经手的供养人小像和协侍像已大多完工，第六千八百三十五尊圣像却迟迟没有刻完面容。他停在那里，常常是半天不动刀凿，痴痴地凝想上半晌。经过这一拖再拖，监工的兵士开始不耐烦他的赊缓了，忍不住开口呵责，厉声催促。

好在，他们干到第二个月以后，不时有鲜卑大头领来探视工程进度了，但凡此刻，工程就会暂时停顿，所有小工都被遣开，只留下几个技艺出色的工匠以备垂询。

自然，他也被选中了。

这一天，监工没有像往常那样来嚣扰他。整整一个半日，洞窟里都安静了，听不到以往整天价烦嚣的锤凿之声，把守石窟的胡人全都锦衣华胄，在全窟上下往还奔忙，再顾不上对他们凶神恶煞。依据先前的类似情形，多半，这又是非同寻常的大人物要来巡视了。

从监工们紧张不安的低语中，工匠们隐约听到，有宫中女眷要来巡视全部的工程进度，领头的竟是清河王的王妃，当今皇帝的亲姊。说起权倾一时的清河王，他不光是朝中执掌权柄的大姓王公，还是秀容部落的首领，便是这位清河王，从他的父亲开始，就已经一力匡弼圣人了，也正是他家，协力把代北的皇廷迁到中原，对国朝的汉化改新功莫大矣。

随着一声号角，仪乐在石窟周边响起，吹篪弄埙，所有的工匠们都忙不迭丢下手里的活计，奔向洞口交出工具，匍匐跪拜在过道旁。他们中间，年长者已经久经世故，只是将身体紧紧贴在地上，大气也不敢出，而几个年纪尚轻的工匠，并不情愿如此，便忍不住时时将眼神向斜上方溜去——他们已有些日子没见过洞外的天地了，见到这种场面，便未免有些好奇，而这样做的后果，就是军士们一阵劈头盖脸的鞭挞，啪！啪！虽然恐吓的皮鞭不曾伤及皮肉，听起来，鞭子抽打在石地上的声音却令人着实心悸。

皮鞭的挥舞声渐渐沉寂，军士们也不再四处仓皇地奔走，伴着细碎的脚步，却有一种久违的清香从远方传来。那边环珮叮铃里，女人的裙裾带过一阵轻风，这一侧，匍匐在地的工匠们却什么都看不见，只能死盯着眼前尚未平整过的石地。

也是巧了，从头顶上石崖的罅隙里，一束天光投到地上，恰好就在他们跪倒处的前方，在眼前生造出一个舞台。在那里，空气里的尘土为轻风卷携，又缓缓地坠落在地面上，几只蚂蚁悠然地在石地上去来，时而厮打着，抢夺地上小颗的食物残粒，宛然是微型世界中的一出活剧——比起此刻身体僵硬的奴子们，它们竟是自由了太多……

隔得远远的，他听到洞里的交谈，竟有些像是汉话呢。他只当是自己听错了——这胡地的女人怎会说汉话？可是隐隐约约，它们听来确有几分相似，甚至还像是他家乡的淮南口音啊。越是如此猜想，凑近去的念头便越是油然而生，想要去听清楚了，探个究竟：这声音，一会儿像灌了铅般钻进脑海，一会儿忽又失去了重量。它落地如颗颗金针，它渺茫时，又有一股大力，撕扯着他的耳朵，仿佛什么，想要从他不自由的身体里腾空而起，他却只有强压着这好奇心，专注面前石头地面上的细微纹理，看它们所幻化出的山川和河流。盯着眼前的墙壁，年深日久，他早已谙习这游戏了——只有自己才能心会。

——不仅一块普通的石头上能看出个大千世界，某些时刻，他还把自己整个儿丢进这世界去。他融化其中，就像一粒小小的尘埃，懒洋洋地在虚空里飞动。这种特出的能力，帮他打发了些特出的时刻——眼前这样，特别枯燥烦闷的时刻——若是没有人来唤醒，或许他便从此匍匐在那儿了，不管身下的石地是如何寒冷。

可是这一次，他并不能沉入幻境，他意识到自己不能的时候，总因为心中有一个形象，这形象不甚模糊也不甚明晰，就像耳中这撩拨他想象的话语，轻柔得难以辨别。它，只是执拗地横亘在他的知觉和另一个世界之间，那个世界春光明媚，光亮始终，衬托得眼下这薄着面颊的冰凉石地尤其坚实、粗粝。它压迫得他几乎喘不过气来……

时间过得真慢。令他失望的是，那一群话语，远远的，清香的……好不容易向这边回转来时，女人们忽然陷入了沉默，不再开口了。只有监工还在夸夸其谈，咕噜咕噜，说着令人生厌的胡话，只是语气不再凶巴巴的，谄媚的声调，夸张的表情，竟像是换了另一个人。

忍不住，他微微抬头向前望去，想要搞清楚发生了什么……这一次，女人们真的走近了，他看见眼前素色掐边的锦缎，豆绿，浅绛，深碧，金红，在寒冷晦暗的石壁前显得格外细腻柔和，像是要把他那装久了黑白暗色的眼眶炸裂，在他视线的正前方，约略有十数人的双足，大多着紫皮小靴，在移动的裙裾中时隐时现，众多的脚步间，簇拥着一双五文织成丝履，与众不同，那丝履上的一袭鹅黄绸裙，尤为引人注目——那显然就是清河王妃了。

在那第六千八百三十五尊圣像前，女人们忽就停住了，不再出声，也不再挪步了。

这不由得让他心中一动。

打头的那双脚款款移步向石壁前时，随扈的鲜卑军士也向这边涌来，令他赶紧低头，随即又忍不住，再次仰首暗窥，如此反复几个回合。最后抬头的一次，是余光里瞥见兵士们扭头他视，才让他敢把头抬得更高，向那人群大胆地望去。涉此大险的结果，却是失望地看见众女子丝幕障面，真容不得而见；那攫住他心弦的女人，虽然不戴面罩，在这至关重要的一刻，她却偏轻移莲步，背转身去了。

他提起的一颗心不禁又颓然落下。

她会是个什么模样呢？

就在这电光石火的刹那间，猝不及防，那背转身去的女子蓦然回过身来。这一回，也不管身前恶狠狠的监工正向他递过狂怒的眼光，他几乎想都没想，就从那堆跪伏地上的工匠中抬起头来。

她宽身广袖，罗裙细裥，不同于他曾见到的其他北魏女人；她倒梳一个南朝女子常见的回心髻，上缀金丝花钿，盛装下却是张无比熟悉的面孔，未经遮蔽。依然是那张白皙的面庞，深褐色琥珀一般的瞳仁，却比他以往任一时刻所看到的都要美丽。

她不就是他的兰芝吗？

兰芝！

多少年来，他喑哑的喉管中又一次蹦出这个名字，年久失语，从来不曾这么大嗓门说话。他不知道周围的人是否都听见了，也不知道自己究竟是有多大声。

他直起身来，毫不犹豫地前扑上去，慌乱之中，那女子后退了一小步，他只来得及抱住她的一只小腿，就跌匍在石地上，但他立刻跃起，将她的两腿都抱住，而且抱得更紧了。

他失声痛哭起来。

所有在场的人都大惊失色。也就是片刻迟疑，两三个鲜卑兵士便跳上前来，费了一番周章，才强行将他和那女子拉扯开来，在地上倒拖四五丈远。另一个小头目，挥起手中的短鞭，劈头盖脸地向他打去，只须臾工夫，就将他打得满脸开花，血流不止。领队的更大声呵责着，要将他立刻拉出去乱刀砍死。

监工们最近少来，不大识他，他们瞪大眼睛，面面相觑，少顷，队列中闪出一人，叽里咕噜向王妃解释起来。刘胡后来仍记得，他说的是：

“王妃恕罪！这蛮子在诸工匠中最为特别，有些疯癫……但他心思特巧，不仅会一般石作，且工于造像，经他手造的圣像，往往有灵光显验。”

说话间，似乎为了证明他所言非虚，这监工便在石壁上寻找那孔尚未完工的石龛。

众人的眼光所及，发现监工所指的那尊佛像确有些不同，虽然尚没有一张完整的脸，却已经看得出不是寻常所见的阔鼻深目，它阴柔秀美，服饰打扮如贵妇人，瞧上去和眼前的王妃竟有几分相似。这一下，众人都是大感意外，虽然不敢多看，却不禁在心中将这两者比较过了几遭。

王妃环视四周，似乎也发现了这其中的端倪，只有颇为尴尬地一笑，半晌沉吟不语。

为首的都尉不知如何是好，只道贵人即将勃然大怒，令他祸事临头，他略一犹豫，便高声呼喊手下：

“来人来人，将他枭首示众！”

“慢着！且饶了他吧。”

在他被拖出洞去的最后一刻，王妃挥手拦下了大呼小叫的军士们，她并不再多看他一眼，只是喃喃自语，若有所思。

“这人竟像是在哪里见过？”

在绝望中，他听见了她的最后一句话。她说的是汉话！在兵士的扶挟中，透过糊满血污的眼睫，他奋力挣扎着，向她递去遥遥的一瞥，他看见，她居然回过头来，向他报以浅浅的一笑。

四

“怎么会错呢？那必是兰芝无疑。”

刘胡听他说了许久，破天荒没有打断他的话头，沉默半晌，他质疑道：

“我听人说王妃自小在松漠长大，哪里有可能是你的妻子！王妃是本朝第一美人，你的妻子不过是个农妇，你确信她会貌美如王妃？”

“可她说的是汉话啊。”

“这你就有所不知了，如今皇帝主张汉化，朝中权贵，多半以从汉俗、读汉籍为荣，她能说汉话也不足为奇。”

他无语。如果说王妃是他的妻子，确乎也有些过于离奇，仔细回想十七年前，兰芝确乎是死在他的怀中，虽然没有亲眼看见她被掩埋，那一刻她的躯体当真已是冰凉无生人气。和那些趾高气扬的胡人贵妇不同，王妃的眸子静如秋水，仪态沉着，和兰芝似乎并没什么两样，唯一不同的是，在那亲切之中，王妃似乎自有一分不可亲近的庄严，那断然不是他的兰芝所能有……她的肌肤胜雪，似乎比兰芝天生的鲜净还要胜过一筹。

“你妻子和你分别已经十七年，你说你分明看见她在塞外死去，是也不是？你在这洞中待久了，多年没有见到一个女人，思慕情热，谵妄之时在所难免。你能大难不死已经是侥幸，千万不可再造次！”

他不再争辩了，他彻底糊涂了……遥想白日石窟之中，天光照亮之际，须臾一见的那张精致脸孔，是没有什么生气的妆容，粉白黛黑的描摹，虽然不是十分浓重，确实不像是他的兰芝能有。可是，就在一笑之间，她的表情冲破了那层薄薄的面具，宛如划过云层的闪电，不是兰芝又该是谁？

他开始怀疑起自己的记忆：十七年前，自己真的亲见兰芝死在怀中，又被厠车拉去掩埋在长城下了？那一日，那垂怜于他的胡人老妇，特向兵士求守，让他最后见上兰芝一面。难道，这一切竟是他一厢情愿的妄想？念久，他变得不太确定了，因为他确乎隐隐地希望着，她的死或许只是一夕幻梦，由此他们还有一线希望团聚在人间；可是他也知道，这许多艰难的时日不会是梦，它们只是残酷的真实。他只是不太确定，他记忆中的兰芝是否真是那天他看见的王妃的模样，还是他思念情切，以至于把天下的美丽女子都套上了兰芝的面庞？

他时而睁大双眼，时而又闭紧双眼，像要测试眼前的世界和心中的这一个，哪个更真切，但倏忽间，眼前万千佛的颜面，都不那么确凿了，仔细看来，他们要么是全无特征、漠无生气，宛如一团云雾，要么又个个细节宛然，使他头晕目眩。他再也无心雕凿那一尊未完工的圣像了，他草草雕就的几个小像，竟全都面目可憎，那一瞥中那个似乎更美妙的浅笑，使心手间那天然的牵系受了侵扰……

“这事倒也真奇了，”当他已不再抗辩，老胡人在隔壁翻来覆去，自己却陷入了迷思之中，“你那日的作为，照例已经是大不敬的罪谪，炮烙车裂的下场了，而她居然不以为忤……”

“……”

“听说，还要提拔你去洛阳当差呢。”

“洛阳？”

“……无论如何，这是件可喜可贺的事。至少，你不用像我这样，在这不见天日的地方终老余生了。我听说洛阳是天下佛寺聚会之所……在那儿，为你的妻子多造些功德吧。切莫再做出什么蠢事来。那本非我们这样下贱人的本分……”

不知道是否真的因为王妃的照念，他并未因为那天的胆大妄为而受到残酷的惩罚，相反，没人再提起此事了。这还不算完，刘胡的预言应验了，灰暗无边的宿命，忽然有了奇妙的转机……他这似乎再也没指望的洞中日子，果真到了尽头！景明二年春天的一日，将作监忽然传来一道命令，抽调几名工匠跟随一支部队向南开拔。刘胡悄声告诉他，领头的监工闲聊时说，那是王妃吩咐下来，让他随同一支从代都选拔的匠人队伍，前往洛阳参与新的都城营建。自此而往，半月内的每个黄昏，看守兵士都要带他到洞口放风小坐，让他适应石窟外的光线。

尽管如此，在最终走出万佛洞的那一瞬间，他还是感到一阵晕眩，炽烈的光线使得他情不自禁地闭紧了眼睛。

便宜你了，那看管他的鲜卑兵士的眼神如是说，这兵士替他解开污秽的铁链，冲他诡谲地一笑。他没好气地瞪他一眼，却忍不住扭头回去，无限感激地最后望了一眼刘胡，辞谢这多年庇护他的老胡人，如同他父亲一般的长者……这才转身，惶恐地向不可知的一切走去。

当跨出洞去的那一刻，他的心中不禁升起一种可怕的预感：像是什么被抛在了身后，从此不能相见。似乎，他的兰芝就将被永远留在这洞中，那一尊他未及完成的圣像上了……可是，他又依稀存着一线希冀，那就是他并没有看错听错，那一瞥中他看到的那个美丽女子，不仅就是他的兰芝，而且似比想象中那个过去的兰芝还要美上千百倍，让他心旌动摇。他这一去，不仅是朝着故乡的方向，而且将有机会验证这一切了。他为这诡谲而不安的存想所激动，十七年后终于从塞北生还，又回到长城内大平原上的激动，甚至也不能与此比拟。

随着马队的前行，积雪开始消融，路旁偶见绽放的花朵了，北方的早春已经来临，村庄和田野开始遍布一望无际的平原，满盛的青禾替代了枯燥的黄土。草卉秀拔，明河如带，旅途上的景色渐渐变得生动而迷人。

第二章

一

“你是何时来到洛阳的？”

“我那一日……”

每一个洛阳人，差不多都会这么问他们的同伴。当然，这绝不适用于驿路上那些频繁地往复的大人、军将，以及他们的高级随从。差不多每半个月，从代北的草原上都会有牛羊和车辇滚滚而下，或是丰饶的贡物，或是殷勤的信使。就算是南方前线，也会时时有飞骑捎来消息，内附的南朝降人与叛将不在少数。他们原本就是随父辈侨居江左，走在入洛的路途上，等于重回故乡。

该问这问题的，是大多数寂寂无闻的洛阳人，终生，他们都不大会离开洛城一步，进出只得这么一次。如果他们是从远方投奔，比如自愿贩鬻为人奴，或是十年来部曲内迁的子弟，多半，都会再四忆及赴洛的第一日。第一日，南人来到洛阳记住的，往往是从洛桥渡河进城的情景：北邙在他们的眼界里缓缓升起，有如一道凝碧般的翠帷，这天下人艳羡的葬地，却是人间最美的风景。他则记得，那日上都，他们这一行人正好相反，是从城北的山上下行，由上东侧的广阳门进了洛阳城中的。

那差不多就是他第一次看到它完好的全貌，也是最后一次。

不知为何，到了洛阳，他便全然不记得万佛洞的模样了。好像，自己生来就是活在这座旷古未有的大都会中，而代北的一切，反不过是个长得可怕的旧梦罢了。洛阳的“最初”也是另一个不甚清晰的梦，两个梦不能完全沟通。洛阳的这个梦景略略真实，是因为这座城市毕竟还在自己的身边，自己是寄身在这座城市的内部，如果说，代北是无甚差别的混混沌沌的“过去”，洛阳，便是值得珍视的“目下”了。洛阳人所骄矜的，是他们的每一刻都是春光烂漫的，仿佛，时间在此际停住，未来永远不会到来了。

关于他的“第一次”的印象，自己怎么到来洛阳的，细节也已不大再有。他记不住北邙的风景，洛水如一段反光的白练，搅动着那原本平和的一切。他只依稀想见俯瞰中的一幅城市画面，是远景里点点金色的闪光，在佛塔的尖顶上不住跃动。在土黄和青红的变奏中，芳芳桃李点缀着夯土墙垣和海涛般的屋顶，明亮赫熮，想来，那上面也该有各种五色琉璃的装点。随着驿路下行，他渐渐走近城市，土垣次第升高了，殿宇遮没在各种样色的围墙之中，再看不到屋檐下的墙圬了；但是同样幽霭的阴影里，夭蛟交结的画梁与重栾，掩不住极其鲜丽的色彩。再往前去，望不见头的大道上，车辐辚辚，人声闹火。

惊人的都会，这时缓缓张开它的怀抱，吞没了渺小的他。

在深夜里，一旦合上眼睛，洛阳的这种印象，又为一张熟悉的面孔冲淡了。他会记得，就在望见洛阳的路上，他初次邂逅了这张熟悉的面孔，一时又想不起来她像谁。在黑白世界里过活了许久，他是不能忘却那张富有魅惑的面孔的——这年轻女子是谁？好像，甚至还没有抵达洛阳之前，这张面孔就已出现在他的视野中了……

还有她的笑声：

“难道你们竟不知这是洛阳吗？”

二

自从二十年前先皇帝移驾到这里，南都正迎来营建的紧要关头，这城中满满的，都是从海内各地召集来的役户，散落在百余城坊，也叫“里坊”。里坊的版筑之地中，随迁的部分代人，再加上早已在此画地起屋的皇族和权贵之家，禁旅和畿内人，据说一共竟有十万户之多，从邙山上望见这些他们聚居的里坊，只能看到围墙内万千屋瓦组成细小的颗粒，就像一片灰色的海洋。仅仅是它的规模之大，便足够让乡野小民目瞪口呆了。

终于，他回想起来了。初到洛阳的第一日，他能看到的已经是两个洛阳，山上俯瞰到的，与地面上窥见的。那一刻，他分明就行在城中，充满好奇地流连于新鲜都会的光景。可是走得近了，那初望中的繁华反倒隐没了，一坊一坊的生民聚集之地，大多简陋低矮，禁锢在夯土的坊墙之后，外表上也看不出个究竟，那里面发生过什么，外来者只有一味猜想。

只有那些土台上升起的官署、佛寺和达官贵人的府邸，才高大轩敞，门向街开。在黧黑的屋顶下，青槐掩映中，一道道的土黄和灰白，是缺乏表情的，这些顾盼自雄的门户，多半有戟架和重屋的门头，才分外引人注目。但凡是内有风景的禁地，大多扃锁严密。从大道上走过的路人，透过车门稀松的罅隙，只能隐约看到门里的典丽：主人笑骂，婢女嬉戏，它们博得了窥视者无限的遐想与好奇……

城市的中心是一条无比宽阔的大道，铜驼街。从皇宫的阙门前，一路马蹄踏踏，时时卷起漫天的黄尘，在邙山的俯瞰中，尤其引人注目。听人说，铜驼陌上，通往那座恢弘的寺坊，塔院中最引人注目的，是北魏的国寺永宁寺，它的名字取自代都最大的寺庙，是国祚长久的寓意，先皇帝亲自奠定了它的基业，又由当今圣尊和朝中贵胄承其余绪。寺中，刚建起一座高大的永宁寺塔，据说是旷古未有的奇观，天竺人又叫它浮图，寺称“浮图院”。

寺塔凌云，远远就能望见，但属于普通人的洛阳，大多是在这黄尘大道上，人海茫茫之中，相好相知，偶尔相逢——大多数时候，他们也只能“相逢不相识”了。

城市城市，是在“城”而“市”，大多人的足迹，并不逾于土城和他们身处的里坊以外，“市”才是难得放松的地方。奴子们多半身无分文，官家的市场——大市、小市——又难得全日开放，但洛阳人不必都去市场。在白日里，即使大街上也是人头攒动、车马如龙的，既有勤于役作，在各个工地间奔走的工匠，也有寻常人家的子弟出来采办的。

“洛阳陌上自留人”，说的就是这儿了。平阔的大街，溶溶的沟渠，秘密就在背人一侧，槐荫和柳树下，总是时而有草市人头攒集。这些临时交易的人，多半自发而起，不从平准之署，只要在夜禁之前收拢，官家也都听任他们，各取各便了。但又有不安分的闲人，难免逐利的奸猾之徒，从中搅动，平白惹出许多事端来。这般的“城”与“市”

的戏剧，多半发源自乡村的圩场，草市草市，迎风草结，亦随风而散。

果然，洛阳是天下辐辏的地方。目不暇接之际，他已发现了闻所未闻的事物。队伍走到距离宫城不远的街旁，密密聚观的人群中央，一行人忽然看到一个天竺胡人，站立推着别致小车，正朝着人群侃侃而谈，与众人对答，泰然自若。看到这样的新鲜事体，押送他们的胡人都尉也挪不动脚步了。

代都也不乏天竺来的巧匠，万佛洞里刘胡的手艺，多半就是天竺匠人传授的。这老人衣衫褴褛，却是个风神俊朗的人物，高鼻深目，精光炯炯，他身边围满了的市井之徒，让他一比，立马就像泥中蝼蛄了。他这一生之中，胡人已经见得不少，却从未见过这样风流的。看到有趣之处，不光是这群多年未见世面的工匠，就连押送他们的兵士们，一时间便也忘了自己此行的使命。

“佛说化城，”这天竺人竟然操着一口流利的汉话，“无非是想教谕众生，一切不过是幻梦泡影，生生灭灭，不过在股掌反覆之间……”

大多听众耳里，“化城”还是个陌生的说法，天竺人说完此节，便环视周遭，若有意味，待众人安静下来，他才继续讲着他的故事，原来他讲的故事都属佛迹，行道听讲全是布施：

“求法道上不知有多少险滩恶道，在那旷绝无人，使人畏怖之处，众人饥渴难当，五内沸腾……”

“导师欲使若众经过此道，求得珍宝，于是，就以方便力化作一城，城中应有尽有，就如各位眼前所见。‘化城’侈丽如此，却不过是人生之中歇脚的驿站而已……众人既受慰勉，就不再感觉疲倦……”

“……也有些人一俟入城，便愿在此得到毕生安稳，琉璃宝床上，他们倒头欲眠。可是导师随手又点灭化城，告诉众人：汝等所求珍宝还在远处，向者大城，我所化作的，不过是各位暂时的止息所而已……”

“诸位莫看这华厦闹市，高塔入云，当不得真！只有积德修善才是根本！只有积德修善，才能在百年之后出离苦海，起于玄流。”

听及“出离苦海”四字，他的心念为之一动，不由也随着那些同来的工匠，向这胡人身边挤去。也就在这时，他听得身旁有人鼓噪起来，他们哄笑着反诘道：

“没有跳丸、寻幢、鱼龙烂漫、种瓜杀马这些吗？原来你讲唱的，竟是圣教里不曾听闻的邪道呢！”

“他若是有这等本事，早就是大国师了……”

“国教礼拜，自有崇福敬业的去处。清修嘛自去清修。国寺的门前，他哪来的番僧口出怨谤，这竟是好大的胆子啊！”

任凭众人如何抢白，天竺人面不改色：“小僧没有那么大的道行，更未曾妄言国本啊！”

“你不是大言‘变化’吗？你倒是给我们变幻出些入云的高塔瞧瞧，就跟永宁寺塔一般。”

当头的无赖子，口气咄咄逼人，天竺人看上去却是一点也不着急。

“‘幻师’所能的毕竟是‘幻术’，不过尔尔，诸位请看，小可在西国学了点儿些末的道行，也能变化些家常的物事。”

在众人热切的期盼中，天竺人顺势表演开了。他从小车中取出一具云纹黑红的漆箧，当着大家的面打开一看，内有两格，互不相属。他又随手从怀中掏出一串五色瓔珞，放在其中一格。待众人看得端详了，天竺人便阖上漆箧，再打开一看，瓔珞居然变作了两串。就在大伙儿啧啧称奇之际，幻师又拿出个大点的柳条盒子，照此一般办理，放入一枝花去，便将花枝凭空变作了两枝。最奇的是，最后这胡人又拎出一只活脱脱的小兔，向大伙儿笑道：

“这活物有些难办。我虽不能将它变成两只，却可将它变得无影无踪。”

说话之间，天竺人用空着的手抽出一块绸布，罩在兔子之上，然后极快地将手一抖，转眼间，再打开绸布，兔子已经不知去向。

围观者面面相觑，不知所措。这会儿，胡人却回身在小车内一摸，提搂出一个白花花的活物——不知何时，兔子已经让他放回小车去了。押送工匠的军兵们，也是头一遭见到这种把戏，片晌沉默以后，不禁和身边人一起开怀大笑。笑声落定，胡人都尉不禁扶正了他的兜鍪，警觉地环顾四处：焉知身边的同行者，是否有人会像兔子一样借机逋逃？

“诸位可看真切了？俗话说眼见为实，这话却未必周详。只要极尽工巧之事，诸位看到的真相，不过是些障眼的把戏，世间诸事又何尝不是如此？”

“是啊，‘刻木为羊’，昔日诸葛丞相有蜀中名匠，略加雕镌，便可驱使朽木呢，可是他老人家不还是壮志难酬……”随来的工匠人群中，有人忍不住插口。

天竺人目光烁烁，瞧向众人，似有几分称许。等到身边人稍稍静了几分，接着向他们微笑说道：“其实，中土的先师们也讲些类似的道理。所谓‘出处成异，终期必同’，你可知这几个字的上一句……”

他心头一动，还来不及响应，幻师的话头，教一个硬挤进人群的人切断了。这人来势甚急，全不顾他身边就是那些全副甲胄，手持兵器的武士。

“来来来，看看你可能将我这玛瑙串珠变成两串？”

这人原来是洛阳小市中的朱姓屠户，围观者多有认得他的。他身形矮胖，形容粗鄙，还系了一条油腻腻脏兮兮的皮裙。他挨得近了，身上散发出一股浓重的腥臭，闻了不禁让人要后退一步。屠户伸出手来，粗糙肥厚的手掌中，躺着一条晶莹透亮的玛瑙串珠。

胡人接过串珠，打量片刻，他的轻松表情消失了，他皱额蹙眉，作色道：

“这分明是个贵重物件，你要把它变成两串，倒是有何大用？”

“这本是送给我妻的聘礼。我妻生性贪浊，我只盼你能为我变出另外一串，好让我拿去应付她，至于真的这一串，还是我自己拿去换酒钱。”

众人一阵哄笑，连混在人群中看热闹的他也不禁笑了。有人嚷道：

“要是你的婆娘生性贪浊，那么你也未免太过悭吝了！”

屠户并不理会众人的讪笑，他只是哼了一声说：

“好教诸位都看见了，如果他不能为我变出另一串来，只能是他修炼尚浅，道行不深——那又在此啰唆些什么，搅和大家的清净？”

拗不过屠户的纠缠，胡人只得指着屠户的腰间说：“那你将这个口袋与我解下来。”

屠户照办了，当着众人的面，胡人将闪亮的串珠丢进口袋，说道："这是你原来的那串串珠，当真收好了。"

屠户照办了，胡人转身伸手在小车里一摸，微微一笑道："这多余的一串给你。"

果真多了一串同样的串珠！众人又是一阵轰动，鼓掌喝彩声中，屠户千恩万谢地走了。就在胡人重新开始讲道的时候，屠户忽然折返回来，不由分说一把揪住胡人的衣领。

"该死道人，你将我原来的那串串珠变到哪里去了？"

"我若是能给你平地变出另外一串，我还在此地干什么？"胡人挣脱开屠户的纠缠，也有些怒气冲冲，"真是愚不可及！由来就只有一串串珠，哪里会有第二串！还是好好看管你自己的那一串，善待你的妻子为上，小心这仅有的一串也失落了！"

一言既已，那胡人幻师环视四周看客，目光最终停留在他的脸上，像是多打量他一眼，似有意味深长。

听到胡人的最后一句话，他不禁心中一动，这话竟像是说给他听的呢——如果，他其实也相信兰芝早已死去，心头近下升起的那份期冀，又是为谁而感发的呢？他忍心丢下了万佛洞中那尊自己未及完成的圣像，又有什么样不能想象的使命，在前方等待着他呢？

小心这仅有的一串也失落了！

尽管一切如常，他还是感到了一丝隐隐的不安。

三

夜色已经混黑，时近戌时，在万佛洞里该是就寝的时间了。在坊头阁子旁等了许久，经由各处署衙层层检纳，他们这行人才由门子引导，走到坊中。原来，斜对东门内大路的偏僻一隅，街树行列的背后，有个不大显眼的入口，一座朱红色的木桥，横跨在路渠之上。迟滞了这大半日，他才明白，虽然繁华远甚，洛阳的律令就和代都一样苛急，外州客不仅人头要经官家点校，他们的日常所止，也如万佛洞窟室中的那样，有着这种那样的禁忌。就是眼下这坊中地方偌大，却不是所有的门庭，奴子们都可以恣意阑入的。

走过大道与狭斜，看过了那么多恢弘典丽的殿堂，并没有一所属于下人，坊墙正中的朱门大户，却不是令他们这些贱民们通行的。

我这是到了哪里？

在恍惚之间，他落了单，穿入一座桂影斑斓的院落，走近一间宏丽的瓦舍。不管比起王侯府邸，下人的住地有多不经意，从代北的石窟中出脱来，他能隐约觉到，自己这是回转到了人间，将要迁入常人的起居之所了，有床铺，有属于自己的名分。只是面前这一间瓦舍，绝不同于遥远南方他栖身过的山村茅屋。它是砖石砌就的，掩映在西堂后面，比他见过的大出许多。室内布置隐约不大寻常，他既未见过，更让他看不分明，在门前未免有些瑟缩。他料定主人是要他们在此歇息，又不知向谁发问。

髹漆彩绘的屏风后面，光线磷乱，隐隐有水雾飘出，热腾腾气味馥郁。

小厮笑吟吟望着他，转身过去，在盝顶的橱子旁点燃一炷香。这奴子随即为他打开橱门，指着堆叠得整齐的新衣衫，示意他自己动手，先除去身上的短衫和裈衣。他迟疑着，未及行动，屏风后面，又转出来一个赤条条湿淋淋的男人，浑身上下腾着热气。他一下涨红了脸，这才明白，是要他洗净身上一路的秽恶呢。

他虽有些忸怩，还是照办了。除去衣服，看见屏风后面是具简易的汤池，粗石砌就了池底和边壁。工程想必事出仓促，未及利用的荒料，还横七竖八地扔在地上。角落里，柴灶上支着一口大镬，一个奴子蹲在灶旁，用铁火钳往灶里添着柴草，火烟从陶管里通到室外去了，室内只有淡淡的燎气，另一个奴子往汤池里不断地加添热水。

稍稍靠近，他就感到了池水的温度，汗珠渗出了他的前额，可是脚下的石阶依然冰凉。

他蹑着双足，往那汤池中试水的温度，小心地一步，一步……就在犹疑时，从后面，什么遽然泼上了他裸露的身体，来不及感觉那是什么，他就本能地大叫一声。与此同时，听见了水弥漫室内的动静。汤池内，至少有三五个人呢！听得他们同时狂笑起来。

初春的夜晚，天气毕竟还是有些寒凉。原来，是教人泼了一头冷水，湿淋淋通体冷冰刺骨，让他顾不上大声抗议，便迫不及待地踏入热池去。热水触到的初刻，也好似冰水一样，浑身的肌肤都禁不住抽搐起来。他深吸了一口气，忍受住那最初的如同针扎般的疼痛，须臾，就有一种无比舒畅的爽愉，从每个毛孔和五脏六腑中源源涌出。除去身上，还有头发之间久积的污垢，已经凝结，硬如石状，在热水中逐渐软化，溶解，让他搓拭脱落，恶臭遂从水中腾腾而出。

环视他的奴子起先还在哄笑，现在都露出厌恶的表情，带上浴室的柴扉，纷纷走远了。同池的浴客，捏着鼻子，也跳出汤池，逃走了。

说不上自己在池中待了多久，畅快之余，他又感到说不出的虚弱，几乎都站不起来。最终，他被不耐烦的奴子拉起来，引到侧室中，重新换了衣服。有人从漆盒里取出一盏粉羹。虽然只是温热，但是他已闻到了其中芫荽与油麻的香味。他都来不及取箸具，端起来，吸溜吸溜地食尽了，又用贪求的目光看着来人，再乞一盏，就仿佛这辈子是饿鬼投胎一样。

等到恢复了些气力，他的神志才回转了，仿佛重生了一回。他感到身上新衣的柔软，短后剪襟的小衣，比穿惯的粗布衣服，明显轻了许多，但是袖长却比先前的拖沓。他感到异样，抬起头来，才发现一屋都是和他一样穿着的奴子，许多双眼睛紧盯着他。

每人各着一席，适才戏弄他的奴子，自述叫陈阿财的，就睡在他的身旁。他在同侪之间坐定，身下是青绢包边的蔺席，麻线束为经，蔺草为纬。众人有些已经睡下，被他这一扰，便有各种样色的眼光向他投来，有的默不作声，有的议论纷纷。忽然，看到家丞进来，忽的一下又都肃静了。

他在席上伸展四肢。忽然，觉得身下、周遭、手足之间都少了些什么……他几乎是本能地叫将出声来："今日，难道不必再点校了吗？"

臣吏挟着一卷簿记进来，着意在其中抽取出他的投名，瞥了他一眼，眼神之中略带几分轻蔑："你自诉本是良家子……北都放免，给你个轻松的差事。怎么，你竟是更欢喜贱人们的差遣？"

他愕然，情不自禁地坐起了，又神使鬼差地跪下，给来人叩头谢恩。与此同时，又有些许迷茫。原来，这里不用日日唱名，也不必像万佛洞那样，给初到的他们带上镣铐了。他用自由的双手，轻轻抚摸着自己宽大的袖，还不习惯它的存在。身边众人纷纷褫去衣冠，解散头发，倒下歇息，一开始，大伙儿在炕席上还成行列，后来，就各自东倒西歪地睡去了，有人蜷缩一团，有人的脚都伸到他这一边。他和衣倒下，却难以入眠，只是眼也不眨地注视着头顶的屋梁，窗外入户的月光照在梁上，提醒他，外面还有一个大得多的世界。窟中日久，这情景已经很久不曾看见了，月辉比烛火柔和得多，又呈现不一样的银白的颜色。

他这一生都未听说过奴子们用的浴室，只见过素缯帛的织工，没有穿着如此华奢的锦衣。他触到身下的裘褥、枕席的质地都如此华润，他将衣袖举到目前，即使目下只有微光，也看得到平纹重经组织出的肌理，密密麻麻，即使在黑夜中，鲜艳的网目也清晰可辨。

夜过初更，他手拂着被这柔软的质地包裹的自己的躯体，渐渐放松了心情，沉入了一个不可知的所在。

四

自从来到洛阳，迟迟没人为他安排合适的活计。

果然，执事者对他另眼相看，不当他是寻常仆竖了，纵然不能周得自由，总也不会动辄有笞骂之虞。在这院中，他长久没有遇见一个石匠，偶然大人有所驱策，日常的劳作，大多只是引车负浆的闲事而已。从同侪口中，他慢慢了解，原来自己已由南人生口，擢拔成了注籍官户的高等匠人。

他知道，和代都比起来，这已经算是格外的恩赉优洽了。

遇到天竺人的那一日，一行人从热闹的街衢，匆匆地拘入了广漠的深院，入府注籍以后，他就再也不得机会外出了。不知怎么，讲经人“化城”的譬喻，还潆洄在脑海中，久久不能挥去，诚如幻师口中所言，新添的一切繁华都似梦境，使人难以置信——可是另一方面，眼前的一切，里坊内的“城中之城”也是实在的，一甓一瓦，比起代北那是真切了太多。

走过洛阳子城城西的仁德坊，洛城人大多识得清河王王府，洛阳城中第一显散的所在。距那座高大的永宁寺塔，它不过一街之隔，就在里垣的东墙外，是宽达一百步的铜驼街，应了汉时宫署前铜驼对峙的故事。铜驼街往南连接永宁塔院，向北延展，直通帝室所跸的太极宫。太极宫的宫门之前，阙楼迨南，清河王府独占了仁德坊的一坊之地，各门直接开向大街，这些，都是皇室才能享有的特权，除非特出的恩尚，并不是所有民居，都有这般殊荣的。

清河王府内役使着千人以上的仆从。他们所为的工作，比起石窟之中更过繁杂，诸事却是井井有条。忙得抬不起头的奴子们，各自有各自的缧绁，就是府中杂人也分九等，浮客、部曲、府吏各有各的去处，豪门和微族的所居判然有分。在环绕着府中的土垣内，院中有院，畅阔的院落都归主子和眷属，以及高级随从，地位低下的奴仆和牲畜仅能住在外厩和“蜗牛庐”中，不是近侍陪伴的奴子，是切不可进到最深的庭禁中去的。男子无故不处私室内，女子无故不窥中馈。凡是有事出入府中，都要拥蔽她们的脸面。

执事的皂隶反复提醒他的下属，纵然警示未必都在眼前，慎莫阑入禁地，免得枉自丢了性命。

坊内究竟有多大呢？洛阳究竟又有多大呢？他禁不住向执事者发问道。

显然，那人不大听到过寻常奴子这样问问题。他瞥了发问的人一眼，轻蔑地回答道：“天子富有四海，阎浮提内，百千万斛的珍宝都归圣人所有。懂了吗？”

这反而激发了他的好奇。在没有管束的时候，他偏要从隐秘的角落，横穿僻户，闲走过去。直到偶被发现，遭到叱骂，他才佯装走错，令自己回归本位。不是没有卫兵询问口唤，索要符牌；终究，他发现白昼里府中屋宇不尽严邃，锁扃时时松懈，除了坊内的木塔之外，并没有专人时刻把守。有了这样的经验，胆子更大，寻常的门禁，也就难不住他了。

他尚不能想象阎浮提内珍宝的量数，但是，把万佛洞中可见的宝货都加上，确实，也不及面前一个丰实的仓庾。也许，只因代都还有太多他没有见到的角落罢了。

不是说，伽蓝净地只是僧伽们用于清修的雅静的所在，该有如此多让人心旌摇曳的物事么？

在这方面，洛阳大大不同了。听说，在洛水以南，伊水岸边，本地也开凿了规模宏大的石窟，他还没机会见过石窟寺工毕的模样，但比起苦寒的朔方城市，此下的大都会，断然吸引了善男子善女子更多的注意力。终于，从一间间佛堂、一座座木塔中，他陆续看到了多年来熟悉的东西——原来，圣像不须逐一斧凿，雕镌，也不用总安置在荒郊远野中，生根在石壁上的。它们只是由不同的匠人，用不同的材料一一营就的。

第一日见的那些城坊里，想必也是千个百个他这样的苦人儿，千个百个这样类似的世界吧？

平日无事，他只有在内作署中枯坐着，呆呆听着隔院纺绩的声音，听候差遣。织女们总是千疋百疋地织缣，永无休止，除了供给府内的需求，有时还要奉贡到宫中去。走过仪门那边，高堂上，屏扆前，府中皂隶平时就在那里办公，和他一样，枯对内院沉闷的风景。一张髹漆的大床，上面踞据着故作威严的胥吏，无大事时，他们只是草草指挥，备材起屋，监治宅室。假使时日优闲，这些不知是河中还是漠北出身的胡人，往往犬马游猎，谈不上汉官那样事事详悉。留守府中者，终日饱食昏睡，偶然发奋起来，只是多了很多让人厌烦的条规。

移步府中工场的庑下，那里的奴辈大多没有自己的思想，如陈阿财那样的，难与他们交游，他们，只能服处分像鹰犬，恭顺诺诺，被支使在箧簏、书筒之间罢了。回转内作署中，优选的所谓“高等匠人”，没有做他的活儿的，问起他们各自的技艺，又是一副奇货可居的模样。一一道来，他们不是外州徙民，出身细微，就是家门倾覆，以至于伶仃茶蓼，流落到此。可是同辈偶然接引，因为他显得分外迂讷，又是南人的出身，那些伙伴对他的排摈、讥刺都是日常。他，只能是苦笑了之了。

内作署中，执事者大多嫌他不够机灵，时时支使他去厨下做粗活。大多时间，他竟落得生火作炊，洗盆涮斛，就连稍微体面一点的匠作都不曾用他。这一切，和他在平城操持的竟是大相径庭了。还没有从多年的劳役中恢复体力，他也乐得喘息，安于冷落。

这些日子，他便常出没在王府的永巷曲头，久久沉滞在那里的尘喧中。在轻松之余，他的内心多少感到一丝不平。难道，这就是他到洛阳的归宿吗？那尊留在石窟中未及完工的圣像，时时回到他的梦里，刘胡的劝勉，又在他的耳边响起：

我听说洛阳是天下佛寺聚会之所……在那儿，为你的妻子多造些功德吧。

下人们的聚居之地，多少还有些婴啼犬吠，他身旁的王府内院，高墙里面，却是死一般的静寂。一天又是一天，牝鸡向鸣，挨过漫长的一日到掌灯时分，傍晚不知在何处阳燧取了火，王府内的炫金涌碧，全都燃亮起来，灯里油膏充盈，每间每楹，都是荧荧一豆，迷离闪烁。

晨昏流转间，人们这样灯火日日地起歇了，一天比一天还要难挨。他感到，那并非真正的自由，而是另一座无形的牢狱，只是他已经缺乏勇气，再想象这座牢狱之外的世界了。

大多数时间里，洛阳是一座悄无声息的城市。

五

因着这莫名而得的优游之身，他常找机会在院中行走。某个寻常的下午，他从前厅偏院穿过侧门，又去窥伺坊中最大的佛堂，它同样三间四表，八维九隅，只是比起永宁讲殿来，小了一号。

他们招他到洛阳，难道就是为了有朝一日在此的造作吗？

相形于建筑的华美，他更属意的，还是佛阁里那尊令人瞩目的等身金像，他时时找机会从此经过观摩。冷眼一瞥，还以为极少现身的主人，正端在佛堂之中，两旁若干小像陪侍，宛如形影不离的随扈。自从来到洛阳，他这还是第一次，又看到类似万佛洞中的佛像，分明也是石质的，没有石窟中那般高，而是镶嵌在屏风前帷帐里，居于勾描着朱红彩画的楹柱间。佛堂中静悄悄的，身后并没有人催促，他不禁停下脚步，向它多看了几眼。

这是一座围屏式的圣像。纵然他技艺纯熟，对这类雕镌早不陌生，依然被它华丽的仪容打动了。主首两侧，连鬓长髯的天人，透着浓浓胡风，头戴尖帽，手执日月。背屏的顶端浮刻着覆钵顶的宝塔，多重相轮下披散着山花蕉叶，塔身四面开龛，塔基是莲花莲叶和卷草纹的装饰。不同于万佛洞中尚未完毕的雕饰，这些早已完成涂装，没有他措手的余地了，圣像遍布着金彩，上上下下，掩没了原本研磨精美的白石质。

最能吸引他的眼光的，还是代都没大见过的“飞天”的形象。在造像的上端边缘，束着发，穿着交领衣的祂们，颈项纹是流水般的，花饰像霭霭飞腾的云气；上身袒露，下裙裹着浑然的胴体，就似脱系了肉身的沉重一般，盈然地飞起，一躯倒悬。在飞天们的背景中，雕刻彩绘着数不清的火焰纹，他跟着这些纹路看久了，围屏中的世界就仿佛活了，不再属于它的背景，而是与宝塔、天人、草叶、树木……融为一体，烁烁华华地流转。凝神新眺许久，他忽然“醒”了，不禁打了个冷战，这，可不就是天竺人口中的“化城”吗？

城中应有尽有，侈丽如此，却不过是暂时的止息而已。他提醒着自己……可是，正如经传里所说，不也有些人，一俟入城，便愿在此得到毕生安稳吗？

主尊立在龙莲座上。莲座两侧，探出龙头和大半个倒立的龙身，龙粗壮的躯体与四足，就好像是深陷在石头之中，前爪奋然前探、后爪用力蹬地，龙口之中里吐出的莲茎，渐渐变成了胁侍菩萨的莲台。莲台之上，菩萨褒衣博带，微笑着正看向他，祂内穿僧祇支，束带外露在胸前，仿佛还在向上飘动，身体的轮廓，都消失在宽大的一袭袈裟之中，仿佛一体也在向上飞升。无论是祂的波浪状发髻，还是那不断向外放射着的，双层莲瓣纹的头光，都生出一种奇异的动态。这些都是他从未见过的，难免使人迷惑，但是只要目光移向祂清秀的面容，什么迫人的东西就照进了他的心魄。他看到那圣像的眼珠格外清澄，仿佛是以褐色的宝石拼琢，一颗一颗镶嵌在石头的眼窝中的。

是的，这里只是暂时的止息处而已……他却禁不住要跪倒，五体投地，口中喃喃说道：但是，允我流连在此吧。

他并不能打量佛堂很久，毕竟，这里并不是适宜下人淹留的所在。看见，或者看不见的藩篱，让他需要百倍的小心，要在被人撞见之前离开。虽然也算寄身在同一里坊中，数月以来，他和一起役作的工匠们只能从边门出入，不能涉足王府深禁，一天中都难得见到府中的近侍，更不要说，望见他最想望见的那个人。

听说，清河王和他妻子服色鲜明的銮驾，只会从大门通行导从。府中所畜的婢奴甚夥，主子们难得记住一个下人，他一直未曾有机会，和王妃谋面。下人们告诉他，她是循例进宫，觐见她同父异母的兄长，也就是当今皇帝去了。王妃长久不在府中，清河王便移情于他的女婢，王妃迟日不归，主仆终年厮混，情好日隆，不由在府中引起他们夫妻失和的议论。

王妃已经触发了他无尽的念想，清河王又究竟是什么模样呢？

从不算近的距离上，他只见得清河王一次。不光乎着国之才颖的盛名，清河王还是洛阳公认的美男子，风宇条畅，神仪秀出。和他宠爱的姬媵们出入时，即使不刻意傅粉涂铅，他的仪容，好教女人们的美貌也黯然失色了。传言说，清河王早年随着先皇帝一起征战，这副面孔难免会使对方生起轻敌之心，久了，他只得打造一副面目狰狞的面具，对阵时常套在脸上。

如若说，王妃的面庞上果真叠着兰芝的影子，清河王雅润的颜容却更是似曾相识，使他暗暗心惊……远远望去，王爷白面微须，隽鼻细目，神情淡泊，几乎便像是万佛洞里那尊他未及完成的圣像转在人间。一方面，那面庞上多了几分男性的疏朗；另一方面，它又成了万千标准音容中的一副，无甚波澜，是一种人间不大有的阴秀之美。难怪，不能接近他的奴子们纷纷传说，他日常是戴了另一副面具的，只有在宴见贵客时，才摘下面具，盛装示人。

据说，当朝的另一权臣，郭欢，却生得另一副模样。

清河王和郭欢二人迥异的相貌，常为洛阳人民引为坊间的笑谈：

清河秋欲雪，
阿胡喜夜行！

阿胡，就是郭欢的小名了。郭欢出身西凉羌胡部落，那里的人民肤色黧黑，和一部分鲜卑皇族白面黄须，所谓“白胡”的特征，正好是掉了一个个儿了。清河雪白，郭欢就像夜色般阴鸷骇人——隐语，终究是隐语，洛阳城中，断然没谁敢公开拿这个说笑，就连清河王的手下也不例外。宽闲雍容的气度，严急峻刻的外表，恰好对应他二人在洛阳不同的作为。

郭欢的崛起本是一个意外。建元十一年，因为山东城人作乱，郭欢亲率他的黑甲骑兵入直京师，就此淹留在天下之中了。时也，运也，适逢附庸清河王的部旅，大多陷身在与南朝作战的前线，无力北返，不经意间，郭欢已在北魏的新都慢慢坐大，牢牢控制了洛川周边的军事。

先皇帝歆慕中夏，二十多年来汉胡间已经不分彼此，拓跋的子弟女儿们，都愿意与庐陵、范阳的高门望族婚聘，即使是圣尊左右，也少不了风仪秀颖的南人谋士。郭欢入洛之后，却遽然打破了这种平衡：汉人世家日遭冷落，新来的霸主，似乎要和中土风俗保持距离，好纯正草原骑士的精悍之血。那些与他出身类似的酋帅们，本来骄恣狂妄，他还要教唆他们："汉儿是吾家犬，让他们温饱，替汝耕作，为汝纺绩就可以了，大人们勋济天下，何苦在粪土与算筹之间弄得灰头土脸？"

纵然刻意迎合了那些部落大人，郭欢却不是鲜卑本家，清河王的出身倒在代北，他才属于高贵的元家，是国朝汉化后，自我改正的十姓之首；只是，改新至于急要的时刻，祖先同是游牧人的清河王和郭欢，却走上了殊途。清河王主张，部落酋长们要一体输诚，于是增加他们的赋役，征调他们的部曲，又一意减削代都留守的权力，特别是他仿效中土制度，要求松漠贵族子弟每岁定期入直，重演可汗质子送到汉宫中充当扈卫的故事。这多少扰动了代迁长老们的根基，触怒了洛阳朝中的有力者。那些被他冒犯心曲的人，纵使原本还与他燕好，如今往往也腹有怨诽了。一旦诸侯自有异志，外人郭欢崛起时，大家就乐得坐观龙虎相斗，不沾预朝政世务，对清河王不意中的失势，都听之任之。

至于日益睢盱的郭欢，不要说清河王，连圣尊本人，也只好暂时隐忍了。

在朝中清河王本来盛才重誉，无出其比。但却也有人说，他这是“内紧外松”，弃绝堂堂之政，对族人轻起衅端，朝事却闲旷无为——枉了为人细简，博取的却尽是误国的虚名。

如果说清河王的姿容犹如白日丽景，对城中人民来说，郭欢的名字总是和宵禁的长夜联系在一起的。在洛阳，禁夜的城市如同变换了一个世界，白昼里富贵喧嚣的风景，在冷漠的黑暗中遁于无形了……

向晚，九衢的街心每天都会站满守街的金吾，禁夜的钟声会在全城响起，除了少数当值的军兵，无人可以再在洛阳城的大街上走动了……这时候，就轮到郭欢的部下开始在全城巡视了，他们急急搜检，挨个关闭洛阳的坊门和城门。工商士民，不管是否结束了当日的营生，这时候都该要急行迅步，奔回自己的来处，禁钟响过十二轮，如果还不能回到自己的住处，多半就得想些办法，避入邻近的城坊中，找到邸店或亲友，向他们的知、识借宿。夜禁开始以后，要是有人无故违禁，一律得受严酷的责罚。

夜半，隔着一堵坊墙，人们常听见巡逻的黑甲骑士鞭笞“犯夜”的坊民，惯了宽松不惯自律的洛阳人，挨打慢慢成为家常便饭了。一顿鞭子下来，轻则卧床三月，重则送了性命。平日里下人们彼此谩骂，常常吓唬要“磔杀狗奴”“弃置沟渠”，可是出得坊墙，若不谨细，真会有这等祸事临到自己的头上啊。

——“早早出都门，断送晚归人”，因此，在洛阳提起郭欢的名字，竟可以止小儿夜啼。

过去，安国宁家之术绝不在他视野之中，他只是一个无知的匠人，需要时间，解开城市里、作坊中或明或暗的重重锁扣罢了。但对这崭新生活里的一切，包括他不了解的那些东西，他不是没有些许的好奇，毕竟，它们也是和他朝思暮想的联系在一起的。可是，在日常中，大人们的眼色他无从得见，他只能暗自揣测。由自己的处分，他知道，在门户的转折处，总是有着重重的屏帏，幽晦中难免藏着冷冷注视的目光，那里，不要说恣意妄入，就是想偷偷看上一眼，也是不甚容易的。

坊里深处的巷曲，就宛如迷宫旋室一般，每个人，都和隔墙的另一个人，差着整整一个世界。有一日他忽然想到，要安全一窥它内部的究竟，就除非登楼入室，爬上洛阳城中那座高大的永宁寺塔了。

无论在洛阳城中的哪一个角落，念及这些时，他就会情不自禁地仰起头来。抬眼望去，他看到城市远景里巍然的巨构，他想着那云端上的风景，心下不禁对它充满了憧憬。

六

不知何时起，夜晚竟成了最自由的时间。他已听久了夜半那些异乎寻常的响动，蓦然醒转，他知道，那便是郭欢手下的夜巡人马，刚刚又从坊墙外驰过了……

他就此惊起，循着那令人不安的声音，在黑暗中摸索着游荡——白昼不得行动无拘，向夜却总有机会，遍历仁德坊这城中之城，只是碍于夜禁，人们无论走得多久，总不得逾越于已经锁闭的坊墙之外。

向夜，内院的门墉已经落锁。除了当值时要近侍主子，等级低下的奴子陈阿财们，大多同住在西堂外的厩院中，偏于仁德坊的西南一隅。要去往西北坊门，也就是最靠近宫城的那个出口，他须得路经更下等奴子聚居的杂院，从便道穿过一片倾倒垃圾的土坪。

——他悄悄起来，沿着苇席间的空隙，越过一大片横七竖八倒卧的同伴，溜出他们寄身的廊庑。穿过侧门，首先看到的是一大片破烂房子，黑黢黢，寒恻恻。

尽管早有耳闻，推开柴扉，那些最下等的贱民聚居的厩院即在眼前，还是令他吃了一惊。庄严重密的坊墙后面，厩屋像是华美的木柱被蛀空了的孔洞，塞满了令人窒息的污垢。不在石窟之中许久，周身早已洗涤清洁，甫闻恶臭滔天的浊气，他不禁往后退了一步。府中总是温衣美饭，坚车良马，可是供给生活业用的后台场景，平素里却是见不到的。离了庄肃的中唐地界，脚下已无铺装，他在杂院中走着，需要留神堆积满路的土坷垃，随处即是的人畜秽恶，还有木料瓦甓四处散放，一不小心，便会绊他一个跟头。

一切俱寂。

抬头望去，黯淡的星光下，空中竟有“怪鸟”飞翔。原来，下人们的贴身衣衫，草草洗了，就晾在树杈间牵起的绳索上面，它们飘拂在夜风中，仿佛巨大蝙蝠伸展开肉翼，走近了，就能闻到尚未散尽的汗臭味。他循着这奇特的标志，就认得夜路，能顺利穿出厩院，散步在影影绰绰的土墙、廊庑和树丛间。绕过厩院穿越垣墙，是一小块菜畦，菜畦旁垒砌的，是畜圈和鸡埘，他从田埂间穿过，深一脚浅一脚，在菜畦西头的沤麻池旁停住了脚步。

道路的尽端，隔着一片杨树林，仁德坊坊墙的西南隅挡住了他的去向，他发现，自己走到了先前从没去过的坊中某处，仁德坊再大，此时竟也到头了，潦草编织的树篱，遮蔽了积日里大雨冲垮的墙角。

忽然，在树林边，路尽头，他听到坊墙外那异乎寻常的响动了！此刻，它们竟变得清晰可闻，仿佛就在身边一样。他小心翼翼地走近去，透过土墙穿裂的牙隙，蓦然看到大路上可怕的一幕：那跪在地上挨打的犯禁者，原来竟然正在墙外数尺之处……他的心陡然提起，大气也不敢出……奇怪的是，行刑者和受刑者都默不出声，没什么大的动静，只有响亮的皮鞭和低低压抑的哀鸣，周近的人才听得到。那人额头上，明明看得见鲜血汩汩流下，皮鞭打得他在尘土间蜷曲着爬动，即使面孔狰狞，痛苦得像是快要失却了知觉，受刑者也只是伸手护住伤口，摇摇晃晃戳在地上，既不反抗，也不发一声喊，他微微张开的口中，仿佛还翕动着“爷啊，娘啊”……

背对着他，策马环立在对面坊墙脚下的月影中的，想必，便是郭欢那传说中的黑甲骑士们了，面前发生的一幕，行刑人和受刑者的动静，好像不足以让他们移动分毫，即使他们胯下的坐骑，也宛如石像般凝重而庄肃。

对他来说，这一幕已经足够触目惊心，使人不忍多看了。多少次，他试图在白昼里辨认昨夜的去路，却始终弄不明白，自己怎么就走出了迷宫一般的院落，逃到了偌大仁德坊的边缘？在静默得有些异样的夜色中，平素里那些蝼蚁般奔忙的工匠，那些终日喧哗着的皂隶，那些嬉笑无端的婢女，仿佛就像给那胡人幻师施了障眼法一样，在坊里消失得无影无踪了。他一个人孤单地游荡着，在破败的街心伫立良久，想象着黑暗大幕后隐藏着的可怕秘密，不经意的一瞥中，总能看到他所忧惧看见的一切。

——他害怕什么，就总会看到什么。

那犯夜禁的无声的受难者，仿佛是对这阴森可怖夜色的最好注解。

他只好发足，向更深的深处、更黑的黑暗里逃去，在为各种土墙所限定的蛛网般的巷曲中，左冲右突……夜幕中，如怪兽般矗立的那座高大的永宁寺塔，却不离他的身后，像是这个不停旋转着的世界的中心……他留意到，夜幕中，在那巨大塔身的尖端，常常会有一丝微弱的、丝毫不引人注意的光亮颤动。

最终，是异样的气味拯救了他。随着香气沁入脾腑，他的心跳慢慢平缓了，循着一丝若有还无的熏息，他会到达一片巨大沼泽的边缘。从夜半的湖面上，水汽蒸腾而起，那是清河王府后的园林所在，山石磊砢，奇秀岩峦处处高起，看不见后面。他知道，整个洛阳都没有南郭城，洛水引入水渠，流经各处里坊，造就了这些园林。水流穿过的地方，难得没有区隔内外的垣墙，水边，只有拔地而起杈枒斜据的大树，从王府初建时就在这片野地里。在穿坊的河渠旁，浓荫代替坊墙，阻断了延向府内的视线，遮住了深院中的一切，虚静的禅阁从树后露出一角，有如待要起飞的鹰隼。

还没有机会去到大河边上……洛阳那最旖旎的地方。他只是听人说，洛城的风景大多和水有关，洛阳城的缘起，原本是在茫茫无涯的大水之滨，成周时候的苌宏城，已经是四水周流的气象。在坊外为大路和营建所断隔的风光，在坊内，有时还能完整看见。水流断续，沿着路桥、暗渠、野地，时而前行在人迹不能至的深林里，勾画出未及版筑的那部分城市。即便洛阳里坊的围墙，也在沟渠流入里坊内的地方中断。因此，沿着水流而下的草叶，将要穿越全城，最终是会汇集到洛都周边河流中的。昔日山村寻常的开阔风景，为城市所束缚，就好像天竺胡人装进了漆奁的兔子，行踪莫辨了。

相应于白日煌煌的洛阳，这剩下的暗夜流水般的洛阳，既是中土的，晋朝名士的清谈地，又是胡人所喜的，草原健儿的乐游苑，无论猃狁肃貊，任他们酪一升、肉一段。不止一次，他碰到林荫之间破旧的帷帐，汉人是草庵、草庐，树间绑扎枝杈，茅草重叠铺覆，胡儿则是毡罽、罽幕、罽茵。曾经栖游的主人，大多已将它们弃去了；偶然，也有雅集游宴刚刚结束在这里，气息奄奄的残烛，还发出若有若无的光亮。

隔着这片沼泽，正可看到清河王府内院那边隐隐约约的灯火，是这无边黑暗中唯一的光亮。寻常人早已入梦，但那边的湖上，贵人们恣意的游乐，到夜半还未将歇。

清商调的《大曲》奏罢了，绵绵的箫管响起。其间，被夜风裹挟来的女人歌声，竟是他多年不曾听过的南曲：

采——莲——西——洲——

莲——塘——清——秋——

永——夜——如——水——

夜——月——如——钩——

听着这柔曼的歌声，他惊恐的心绪完完全全平复下来。他蹚过泥潭这边的浅水，想要听得更加真切，不意间湖水渐已齐腰。在水面上，歌声似有还无，眇眇忽忽。

双眉画未成，哪能就郎抱？

他不能再向那边走近，那歌声却戛然而止，风中吹散了最后的一缕残香，只剩下依稀可闻的男女的调笑，宛如料器坊里的碎金乱玉，逐次漏进浩然的夜色中。

七

“你从代京来，识得造作圣像之法吗？”

凭几后端坐的那人，看上去问得一本正经。

他愣怔片刻，不禁哑然失笑。府上这多执事者，如此纷繁的差遣，他到了这许久，难道竟没有人知道他的来历，当初，他是为何被遣送到南都来的？

他的手艺甫一展露，便引起了府中人等的赞叹。于是，将作监的官人骑马走在最前面，永宁寺塔工场的栅门为他打开了。他仰头望去，佛幡高飏，掩没了隐隐远景中的城角和寺檐……

一年以来，这还是他第一次走出王府。来到仅仅一坊之隔的工场，为着是陪着将作监的执事，巡视那里诸工作。不知营作都将从哪里听到消息，说他心灵手巧，闲在府中可惜了人才。在仁德坊中挨过了好些平淡的时日，终于，为永宁寺工事而从代都平城遣送的这些“优等匠人”们，等来了大显身手的这一天。

执事者箕坐在望楼平台的胡床上，高高闲看着工场中的役作。总事胥吏一声号令，就听到叮叮当当的铁链声音，从乌头门外槐荫下的墁道上传来。原来，是十数个腰背博硕的赤奴穿成一列，肩负一根沉重的大木，吃力地错动左右脚，往还调整几次，好容易，才在石路的一端调整好上行的步伐。府中遣送的工匠、臣吏照例随行，队列的最后，是年资最长的，携账册的老家奴，蹣跚跟在工匠们其后，招呼着大家同心协力，把大木稳当卸在庭院里，建筑工场的另一侧，和小料并置在一处，然后逐一画名、计数。

这一行人，径直切过工地上熙攘的车马人流，途经瓦器作坊、冶房和扬灰场，从熙攘的街市边缘，穿越漫天的尘土。他们与众不同的身手，招惹来路边人好奇的目光。

虽然不是烈日之下，这一趟，从工场的正门一直走到圬墁廊子的僧房下，差不多半坊的距离，也耗尽了他们的气力。走完以后，他们顾不得地上的泥污，纷纷戳在台基的一角，身上尽是汗水，呼哧呼哧喘着粗气，东倒西歪；转眼间，又一批同样的赤奴小息停当，从台基下起身，回返去工场门口了……他往台基上望去，阶上另有一批匠人，或坐或卧，同为王府的部曲，他们只顾指画眼前的工作，脸上的表情却尽是漠然。

来到洛阳日久，他已慢慢明白，虽然都是苦人儿，奴子的样色可大有差别，有的轻慢，落寞，有的像陈阿财那样的，却诡谲，奸猾。有的和他长相一般，体格中等，可能也是被劫掠到洛阳的南人，有的黑面虬髯，身形高大，一望便知道是从边镇内徙的城民。

先皇帝汉化改新以来，纵然不是胡人，也能在府中、军中担任要职了，北方高门大户的子弟，也和因着军功受勋的酋帅相提并论。国中从此不问胡汉，但是等级依然森严，在别的里坊中，编户齐民，有里长、乡长、党长弹压。可是，在各大勋贵帐中的，大多还是从北地遣发的军户、府户，因有军贯，他们不入洛阳的编户，身份有别于州郡户籍中的土人。即使身处内地，饶有手艺，这些城民戍卒，不管来自俘口还是出身契胡，俨然是这个城市中最低贱的一群人。

更不用说，那些大庭广众下裸形徒跣的，相牵而行的，大多原本论定当死，负荷的都是最沉重的罪谪，比奴隶身份的劳作者还要低下一等。执事者一旦呼唤，这些贱人断然不能不从，他们如不愿劳瘁尽命，就算侥幸逃脱了，一旦捕获，也难逃被磔死的运命。因此，从平城到洛阳，他不知来由的放免之身，仅仅这一点，就足以让不幸运的同辈嫉恨了。

清河王的势力在城中也惹眼。无论贵贱，也不问胡汉，只要是他家的部曲，服色都远比寻常奴婢鲜明：领头的家臣、武弁皆着冠笼，为永宁寺塔工事服役的，腰间悬挂的出入铭牌，也总是镌刻着“清河”“永宁”两字，行动起来碰击作声，在人群之中远远便可以分别出他们的行迹。在阔大的工场之中，他们还算是酽酽酪乳表层的一星浮沫，至少，身下是干净的；俯视灰土泥垢里，那些不时大口喘息的人，就连面目都看不清楚了……他们全然沦为了背景。

和这些同如蚁尘的侪辈比起来，他有几分庆幸。在这自由里一味耽乐的时候，他也备感茫然，他是谁？要做什么？哪来的那么多古怪的思想？渐渐习惯了这种新的身份，在对眼前漠然处之的同时，心头又会升起一丝羞赧。他低头从劳苦人面前走过，他知道，在洛阳，自己的使命毕竟有所不同了。

将作监的官人告诉他们，虽然国寺名义上是朝廷出资修建，永宁寺塔的费用匠材，却大多仰清河王府组织供给，一如王妃在漠北为元家发愿捐造石窟。在此期间，也有身份不凡的邑主、邑子，个别发愿捐助工程的，也有如平城那般，浩浩荡荡民间结社奉献的，只是名目更加纷繁，浮图用工，举凡大小木作、石作、髹饰作、砖瓦作、金工作……又加上查估、工料、施工、监修、校验……的样色，除了调动举国上下的名匠人，洛阳还驱策了数以万计的边镇城人，工场中，光是执掌簿书账目的仆竖就有数十人。

先皇帝发愿在城内营建伽蓝两处，共计佛寺一座，尼寺一座，洛阳城中无人不知。然而此时，洛阳的佛事之盛已经远超了最初的约定。纵然不是谁都有襄助永宁寺工事的资格，大臣市民却纷纷发心捐赠，自起佛堂，甚至，有人将家宅变转了自命的愿业，也不总要朝廷的敕书。有人一语道破，此举不仅福报匪浅，还帮了那些不图生产的促狭子们，找个冠冕堂皇的理由，总好逃官家不薄的税赋。他们只要每年交纳数十斛的谷子，就可以转为“僧祇户”，享受这些好处。于是一时间，“舍宅题寺”，自建砖塔、木塔，在洛阳蔚为风尚，满城烟树之间，浮图鳞次栉比。

然而，迄今为止，尚没有谁能够超过国寺的规模。

他至也晚，永宁寺的工事已大半告竣了。佛塔上下的大小木作将近完备，塔基所在，宽大高台的数百处石作也已竣成，余下的，只有百余尊塑像的镏金和室内铺装，有待他们这些良匠的造作了。尽管还谈不上最后工毕事竟，从外到内，看到这座佛塔大略的人已经瞠目结舌了——近处的人抬头瞻望时，皆需曲颈仰身，头顶所着的冠冕，常常在瞻仰中滚落地上，而远观者也都啧啧称奇。洛阳城中，到处都可见到这座佛塔的高大身影，它跃动的金顶所发出的辉光，便是从数十里外的邙山顶上也可以看得真切，那便是他从漠北到洛阳的来路上所见的了。

门户皆是明晃晃的朱漆，扉上隐隐有金华生起。铜鎏金铺的铺首，都是兽及龙蛇的形状，兽形的口中纷纷衔着金环。浮图有四面，每面有三户六窗，扉上各有五行金钉，每层十二门二十四窗，九层塔共计一百零八扇门，共计五千四百枚耀眼的门钉，一百零八对铺首。

踏着一条猩红的氍毹，他由那雕镂精细的巨大门扇步入塔内时，竟也诚惶诚恐。

和漠北那晦冥幽深、终年阴冷的石窟相比，这是何其不同的一个世界！外表看来，塔是九层层高渐渐缩减的楼阁，内里却是一座土木混合、一通至顶的高大塔心柱，犹如塔中之塔，这柱周径数十丈，上面不仅塑有高倍常人的佛像，还有千百伸出的支架木构，密密麻麻，支撑着塔身各层的平座和门牖；塔内梁枋交叠，尚未层层都铺上楼板，柱栋绝立，本该画影图形的长帧子，还没有张展经像。通过蛛网密集的椽额栌斗，重重架构，可以隐隐看见最高处的镏金平棋，以及九重窗琐透出的点点光亮。

门扇在他身后合上了，他怔立在塔中，阑额朱彩的室内，就好像一部活着的神话世界。

室内几乎没给眼睛留有余地。在塔心柱和塔内四壁上，双龙、四龙合体构成了窟楣或龛楣下端的圆拱额，在圆拱额中间反顾的龙首，或是两端柱头的尖拱龛楣，勾勒出了有着深深阴影的宝龛，勾引着人们向其中看进去，仿佛望向一座又一座光华四射的莲城。宝冠、璎珞、环钏或天衣，在龛中庄严着万千造像，宝物、宝器、花鬘、珠帘装饰着壁柱和壁带。

宝龛以外，大幅的平墙上，描绘着他从未见过的佛画，完全是另种不同的手艺了。代北的石窟寺中，雕镂之间只是简率敷彩，大多他未见过。在此，却没有一处不见颜色。空青的山水上，写云图气，学灵状仙，在大块的笔触之外，尽是密密层层的影塑，俯仰宇宙万物，一眼看不遍来，就好像一个人一下多了一千只眼睛，同时“看见”：城郭、宫室、车马、用具、人物，江湖、峦嶂、鱼虫、草蔬、珠云、木叶、奔虎、蛟龙、腾蛇、朱雀、白鹿、狡兔、玄熊……山神海灵，芳卉秀木，飞禽走兽，鲁殿灵光，丰丽博敞。他注视这一切，眼也不眨，岳岳于栋宇之间的天人，或是冯虚飞动的仙子，就像那日佛堂中的世界，慢慢活动起来……

可是睽睢瞪眄，目力又渐渐不逮了，他拂拭去不知何时聚集起来的泪光，视线突然模糊了起来，眼前，只有漫漫分不出彼此的一片金光。

万佛洞里，他本以为自己见着了人间最精妙的技艺，胡人师傅教的，和他在暗夜中醒悟的，已经够多了。可是比起难以十分工整的石刻来，这里的诸般工作，全然超出了他的预期。它们细密得多了，又鲜活得多了，使得这些佛画成为立体，它们是一个无比繁复又没有明确意涵的世界，并不拘于人物的姿态，或单尊圣像的表情。这个世界，就算并未全部竣工，当他真的站在它面前时，也惊骇得说不出话来。

华严世界，从地涌出。

在这塔中，如果还有一点点使他想起万佛洞的地方，那就是在这壮丽的建筑底部，照例是一大群匠人们，贱同蝼蚁尘土，他们的锤凿之声，如同一部枯燥而永无休止的鼓吹，嗡嗡地回响在这巨大的空间内。

可这一切，又远不如随后看到的情形使他惊愕莫名。

在踏进塔门的刹那，他一眼便看到一个女子。从日光照不见的深处，她正悄无声息地向他走来，她走出来，就好像从那圣像的熠熠光彩中走出来一样。周转过佛身一匝，她不再流连，穿过那些或坐或卧的匠人，走到背屏前的中宁处，她跪伏在佛座前深深一拜。

一个他熟悉的女子。

第一眼看到这女子时，她并未正眼瞧他来。就算现身在一群粗鄙的工匠中，她寻常的衣着打扮，也未教他格外留意。他只是心念微微一动：若是平民女子，怎可便进这工事未竟的永宁寺塔来礼拜？这女子一身黑衣，紧身小袖，脸上还戴了一具胡人女子常佩的幕䍦。可当她款款起身时，偶一回头，从那不期而遇的清澈眼神中，他便读出了什么东西。

那是他无比熟悉的东西。

就在这错愕的一刻，她也看见了他。她冲他微微一笑，随即起身快步离去，巨大门扇吱呀一颤，她便消失了，消失在如洪水般涌进门内的光亮中。

——他本该卸下身负的料器，然后，该和随行的老家奴交代，点校自己应许的工事，可这一刻，他居然忘了他的本分。

呆立在原地，霎时间，他觉得塔内的世界变得光亮起来。或许是这一刻阴翳转为晴朗了，外面太阳正穿过云层，从密密层层的木构中透过的日光，此刻变得更明妍了，在金碧辉煌的塔心柱上，形成了万千大小不等的光斑。此刻，这些光斑都在颤动着，时刻变幻着它们的明度和尺寸，改变着周遭事物的形状，塔内的整个世界由此变得模糊，却又格外生动起来。

只是片刻的犹疑，他转身折将出去，冲出了塔院……

由高出平地的台基上，视线逾越垣墙，虽然只是高出地面一层，他已看得见僧院外的城市，俯望历历在目。

她快步走在铜驼街旁的柳荫里，初时两人相去并不大远。他出得寺门，一路紧随她的行踪，眼见着，她向城南的大水边走去。奇的是，他一个壮年男子轻衣单行，居然跟不大上一个盈盈款步的女子。在柳荫下，她的身形犹如鬼物，刚才看来还近在咫尺，造次，就变得遥不可及了。行过两个街坊，按说已是很长的脚程，可是他并没有觉得过去很久，他只是伸长了酸痛的脖子，提着呼吸，睁大了眼睛，努力地追随着她的行迹。

眼前蓦地开朗。道路尽头，一道长桥，宛如飞虹般地探出沙岸，河水深阔，沿着河堤的街景，却愈发熙攘起来，他随即想到，这，便是众人都交口赞叹不绝的，他又素未谋面的，这是洛水的风景了……天光和暖，白净的大堤上，游春的仕女王孙络绎不绝，江上舳舻相继。在桃红柳绿之间，这不期而来的风景，他却无暇览赏。她仍在人流之中，不紧不慢地行着，河梁之上，杂树交荫。一时情急，任花容柳貌扑面而至，他只是不住地闪避，并不能在人潮中近她一步。

没有一会儿，他们便离了大堤，离开了人声鼎沸的通衢大道，像是由别道回转，穿过夹塘，入了另一坊市中去。此处街面稍窄，很多从洛汭归来的商贾，分明是先在此市中大宗交易，然后，小商小贩，又各自去到里中那些热闹去处的。就像清河王宅中并不都是高楼华屋，深入这坊里，也有好多敝陋曲折的去处，像是邸店的仓库，重橑，贫民居处。他们就一先一后，穿越这些细小的街曲，行过坊间狭斜的土路，土路又与大道斜插。她左行，从市中偏铺的入口进去，消失在一间纻罗店肆中。他气喘吁吁跟上去，唯恐她就此不见，待得从另一出口出来，却看见隔了一个十字街口，她已折入一条幽深的曲巷，又一拐，到了顺坊的小街，望得她出了坊门，这便步入了一条林荫大道了，篱垣间夹植着桐杨和楸槐。

他从未来过这里，却又似曾相识。

……路旁是齐肩高的土垣，土垣内没有多少房屋，却露出一片丰茂的杨树林，虽然是第一次看到，每棵树却都长得那般熟悉；密密的树篱遮住了破败的里垣，土垣外大道上绿草如茵，不像那些寻常街陌，总是尘土飞扬。显然，这条路上过往的车骑不算太多。可是，就在天下辐辏的洛阳城里，这么一条轩敞的道路无人行走，倒也真是桩奇事了。

更奇的是，她明知有人在后追赶，却绝不愿意回头，好看一眼这人到底是谁。这漫漫一段路程，便让他胸中好似铁锤敲击，似有千斤重量压在心口，他累得喊不出她的名字，心中只存一念：

赶上了，就赶上了……

就在他即将赶上的那一刻，她突然隐身了，消失在了土垣的转角后面。也正在这一刻，忽然有一队甲马，从斜刺里冲将出来，驶出小路，直直撞向大道中一路疾行的他，让他猝不及防……眼看就要人仰马翻，为首的一人应变极快，强自勒住了自己的坐骑，这匹马前蹄高高抬起，在原地兜转半匝，骑手竭力驾驭，总算稳住了脚步。后面的人马纷纷奔散，各自转向，队伍一时乱了队形。

这群人马皆是黑衣细铠，不修文饰，连手中持有的兵器，多半也是黑沉光秃的，散发着一片寒冷森森的气息。就在他的面前，一位质状魁伟，气度非常的黑甲将军，冲在马队的最前方，正一手紧勒住马的缰绳。

这将军向他投来冷冷的一眄。虽然只是一刹那，却足以让他看清了这人的面目。他全身披挂，胸甲上镶嵌着衔绶的俊鹘，黝黑的面庞上，一双鹰隼般的眸子。那一瞥里递过来的深深寒意，让他情不自禁垂下了头，打个冷战。

那将军策马在他身旁转了一匝，在马上俯身下来，用长剑挑起他腰间的铭牌。他惊魂未定，一动也不敢动，却止不住地瑟瑟发抖。

“这无知妄行的奴辈，究竟是谁的属下？”那将军向他的随从发问道。

他早该猜到这特立殊形的黑甲将军是谁。可是，适才的变故接二连三，让他在惊愕中难以平复，不要说自己的行止早自乱了，就连奴婢见主子的本分，一时也忘了个干干净净。

“贱民冒犯主子车骑，论律分当如何？”这阴郁的话语声音不大，却使他清醒了几分。如灵魂附体般，他回到现实中来，膝盖一软，径直跪倒在那人面前。

是了，他就应该是……

从这黑甲将军身后闪出一人，低声道：

“他所佩铭牌上，写着‘清河王府’……”

那将军的手按在佩剑的丝鞢上，隐忍不发。沉默了片刻，他冷笑一声，转身领着这队人马走了。

他愣愣地留在原地，半晌没有挪动一分一毫。忽然，他就辨出了面前的这片风景，从恍惚中，回转到现境里来——这，原来竟已是仁德坊的坊墙外了……寻常夜晚，他在墙里看到的那一幕可怖情景，正是这会儿他立足的所在。他忽然由相反的视线，看到自垣墙的缺口处，河渠注入坊中，掩映着天雨崩坏的墙角；隔着不高的垣墙，他一眼看出，土垣里那片丰茂的树林，不过是王府后园那片巨大沼泽的边缘，他每晚漫游所及的地方……

就在他呆立发愣的当儿，忽然一阵钻心的疼痛，脸上已经吃了重重的一鞭，额头面颊鲜血长流，这一鞭的力道如此之大，竟让他仰天跌倒在大路之上，血沫和着牙齿从口中飞出，跌落黄尘。不知何时，两匹铠马已经绕到他的两侧，马上骑士一手持长戟，另一只手上的鞭梢已经收束，冷风挥落在身边的土灰中，就在他们作势杀伐的时候，老家奴气喘吁吁地从后面赶将上来，厉声呵责道：

“你这恣意的狗奴，光天化日下岂敢逃亡？你可知适才惹了多大的麻烦？”

……

“憨子，你可知他是谁?!”

半晌，他才从恍惚中回过神来，面上的疼痛竟是浑然不觉。他全当没有听到老家奴的发问，他只是喃喃自语道：

“她是谁?”

七

“她是谁，我这双老眼怎能看得清楚?看她寻常服色，只是王府的寻常女婢罢了……”

恨恨地，老家奴将手中鞭子在他头上恐吓地一挥。见状，随他而来的二甲士倒停住了手中的兵刃。

“倒是要问问你是谁?!”

……

“这无亲无养的狗奴，倒不看看你自己是谁!活该千刀万剐夷三族的，我要是据实上告家主，只怕他们会活剥了你的皮，将你放进锅中烹了!”

……

“要不是你腰间的这块铭牌，只怕你的这颗人头已经不在项上了!”

他没有猜错，那有着鹰隼般锐利目光的黑甲将军，便是名字可以止洛阳小儿夜啼的郭欢!

八

“她只是王府的寻常女婢罢了……”

何以见得？这是信口说说而已吗？他欲追问下去，却被老家奴眼中不耐烦的神色遏止了。

“人奴之生，得无笞骂该知足了！焉敢得寸进尺？”

初次差遣，便出了这样大的事故，很久，都没人敢传唤他入永宁寺的工场服事了，轻易再不得行动自由，每日里给他的杂役也愈发苛严——他慢慢省到，在洛阳，这意外所得的自由之身，不过也就是一种说法而已。

他已经不是第一次受这般苦刑，他知道，鞭笞之后数日疼痛才真正开始。有好几天白日他都伏在蔺席上，昏昏沉沉，不能起身，每日只要忘了伤处，张口用力，就抽动了脸部，乃至整个身体的筋脉，令他忍不住大叫一声，刹那间又带来如同江海翻腾般的痛楚。更有甚者，他心中的创痕还久未平复，它撕裂着内心的念想，回忆和现实之间的那处隐隐作痛……

过了好些日子，脸上的伤口愈合了，长成了一道触目惊心的痂痕，通贯过他整个的面部，纵使不言不笑，他整个儿的表情都有些扭曲。陈阿财等众，渐渐听闻他诣塔那日的妄行，目击他所受责罚的伤处，都道他是个花丛痴人，难免指指点点起来。那些平素就排摈他的，此刻更加不屑了。他从施粥饭的奴子们面前走过，忍受着他们惊疑或轻蔑的目光。

从刘胡到府中执事者，他们的箴言庶几不虚……切莫逾矩乱行，切莫阑入禁地……细想起来，就教人心下羞惭。要知道世众之多，逾于海沙，他不过是个再普通不过的人罢了，既然性情涩讷，与世无争，如何又被抛到那样的幻境，这般的田地之中？他这一生，领取了莫大的羞辱，自己诡谲的心曲，却是无从向众人告陈的。

尽管已经干不了官家的差遣，在仁德坊里他已有了小小名气，起初是因为难以启齿的轶事，渐渐，人们也发现了他的禀赋，识得他的巧手。府中上下，但凡有悖常规的：修补、缝纫、修葺、日常细作，都有来问的，也少有他不得心应手的难题，就连下女都来找他，乞他为童子雕一只木偶。名气逸出了坊墙，便有邻家轻狂的少年，将他比作京中某某某某第一。为了这个原因，慢慢，少有人当面嘲笑他了。

像是为了慰勉他长久的困顿，王妃终于从宫里回到了府中。

终日里，他往还于永宁寺塔和清河王府的外院。就算是都在仁德坊中，下人们并无多少机会，能和深居简出的王妃打个照面。只有那么几次，王妃的銮驾从他劳作的工地旁经过，教他偶然遇见了，有了默默窥伺的机会。

那一日，正是府内新作的射堂开张大吉。门卒拥簪而立，宾客杂乱之际，他又忍不住抬头，向她的队列望去。远远地，只见王妃斜卧在一具彩辇之上，头顶罩着纱笼看不真切——这一次，她的仪仗远比万佛洞中盛大，但依旧是服色鲜明的王府女婢们前后簇拥，素色掐边的锦缎，依旧豆绿，浅绛，深碧，金红，却反不如寒冷晦暗的石壁前，从低伏的视线里看得那般亲切。女婢们珠翠粉香，花冠巾帔，大多端正可念，头饰钿着珠翠，环嵌着白银镂花。她们嬉笑着，吵闹着，显得似全无慕仰之心和规矩。只有王妃，扭转身去半卧在辇褥上，双目半阖，默不出声，像是一路里都在睡眠之中。

在那群让人眼花缭乱的婢女丛中，他期求着，寻觅着。

他似乎看到了一袭熟悉的身影，却又不敢相认。他的希望告诉他，这个女人确实有一点面熟，可是，又有一个声音，随即在寒冷的、石窟般的黑暗处升起，无情地嘲笑着他心中的劳结：

"……王妃自小在松漠长大，哪里有可能是你的妻子！王妃是北魏第一美人，你的妻子不过是个农妇……"

恍惚间，这一大群人已然过去了。

就这样，又是整整一年过去了。

只有夜晚还是自由的，夜太深长，总有那么一会儿耿耿无眠。就在他的伙伴们睡得死沉的夜半，他姑自出没于王府后园的迷墙中。

无意间，他发现了绕过那片大水的办法：一条幽阻的小径，竟然可以直接去往清河王的后园，也避开了后园里森严的门禁。

于是，夜复一夜，他下到一条已经枯竭的涧谷去，他越过无水的小溪，穿越荆棘树丛，潜入他不该去到的，高贵人们的游宴之地里。只是他怕教人发现了，并不敢过于挨近，只好蹲伏在浓密的桂树丛后面，每次逋留片刻，好教时时窥望。远远地，他看见园中依然有光火闪烁，还有嘈杂鼎沸的人声，只是自此以往，全无女子歌唱的声音。

——他好奇，这些日子以来都发生了什么事情？

他扭过头去，黑沉沉的夜空中，永宁寺塔的身影依然高出，只是万物静哑无声。他看这塔，觉得有什么异样……许久，忽然意识到，在王妃回銮的这些日子里，以往夜半塔尖的那点微小光亮，竟也神秘地消失了。

九

一个女人尖厉的声音在沉寂中响起。遽然间，吓得树丛后潜伏的他灵魂出窍。

“这贱奴子!”

这是一个格外安静的夜晚，他听得清楚，那是王妃的声音……在沼泽那边的水榭之中，尽管隔着茂密的树丛，这声音听得还是那般真切。

便有一记鞭子划过空气的哨响。那心悸的，他曾经熟悉的声响，不仅又唤出记忆里肉体的痛楚，还伴着某种不可知的恐惧的降临，令得他的全身都无意识地锁紧了，令得周遭的一切，都在天旋地转中失去了焦点——他即刻低首，目不敢视。

这清脆的一击却好似打在石地上，竟是扑了个空。紧随着几声凄楚的呼号，伴着听不清内容的詈骂。他抬起头来，看到光火磷乱，隐约有人在游廊中奔走，碰翻了随侍的几案，叮当哐啷，又是一阵碎瓷裂玉的骚乱。

他在桂树丛后尽量提高了身形，还是看不周详水泽那边的事故。

等不到他思考，在一大群歌伎的簇拥下，一位盛装的女人怒冲冲地从水榭中出来，可不正是清河王妃，下人们手擎着炬火，忙着为她开道。赫燿的火烟下，由来幽暗的园林略微光亮了几分，然而依旧是人影幢幢，行色匆匆。松明流曳之中，众人的脸上滑过变幻的光影，使得他们的面孔看起来像是花朵，燃放在黑暗中的桂树枝上。

只是一切看得不够真切：不知道又是谁受了惩罚，抑或妄自丢了性命?

终于，一行人离开了，行远了，园中沉寂久了。从来都是远观，这一幕意外的事变却触发了他的好奇，让他忍不住从藏身处闪出，想要靠得更近，看个究竟。他涉水而行，小心揭蹑地趋近水畔的楼台，走得近了，也在黑暗中辨出了周遭的大概；平日看不得，只听得的王府内院，此刻就在他的面前，只不过是换了另一个角度，微蒙的夜色之中，园林和它后面的建筑已经分不出彼此，也认不得府中人的来途和去路。

在茫茫的大水中间，独有一座亭阁从水中升起来，只靠曲廊，连接向曲曲折折的汀岸。亭阁之中，一架绛纱帐大床，床头的帐钩上垂着流苏和香囊，床榻上铺着华丽锦绣的茵褥，上面却空无人坐。

一个女子躺在地上，一身罗衫，紧身小袖。她蜷缩着四肢，头面向里，也看不清伤在哪里，像是失去了知觉。她的身边，凭几推落在石坪上，果馔散落满地，阁子里一片狼藉。

他放着胆子，悄悄地走近，在那女子左近蹲下，一手搂住她的肩头，将她的脸庞缓缓扳向自己。

“是你！”

他惊得向后退了几步，她，难道不就是……

那似已闷绝的女子，却扑哧一声笑出声来。

十

“我是阿秀，你是谁？”

下意识地，他抚弄着自己的面颊，想到自己丑陋的伤口，竟没有吓到面前的少女。他仔细端详着她。没错，她就是那个他在永宁寺塔中邂逅的女子，可是她却不是兰芝，她，也和王妃的面貌相去甚远。

紧要的是，这少女阿秀看上去不过十六七岁。

愣怔了片刻，一个紧要的念头在他心中蓦然升起，无比可怕：如果兰芝还活着，她早该不是一位少女了，而他长久以来想象的兰芝，却是永远活在十八年前那个永远的瞬间里……

他早已错了。他还来不及琢磨，这错认的执念，和一年来这幻象似的现境有何牵连，但他心下倏有所悟。它像是万佛洞中的一柄铁凿，它失手在嵌入石壁的鹰架上坠落，高高而下，在别人几乎完工的圣像上，敲出一线裂痕，因为洞穴深远，石头微小的一声，不如铁凿跌落地面更引人注意。他目睹这一切惊恐如狂，却又不敢和外人声张，只能一天天看着裂痕的变化，裂痕随邻近处的敲击扩大，直到圣像完全碎裂，从危然的幽处遽然跌落，石壁上瞬间一片空白……紧接着，便是胡人都尉咆哮如狂，替他受过的工匠满脸鲜血……

眼下的这发现，便是他心念中圣像上的裂痕，失坠的铁凿还不知道在哪里，这突如其来的裂痕，让他一时间手足无措……

虽然眉眼之间，她们多少都有点相似，尤其是那双澄清的、琥珀色的眸子，可她们却分明不是同一个人，也没有彼此对话的可能。兰芝、王妃、阿秀，她们就像万佛洞中的那些佛像，温言浅笑都似一个模子里倒出，可当她们或喜，或怒，或悲，或嗔，就好像又各具神采，彼此相异，既非母女，又不类亲友。他短暂地闭上双眼，她们的颜色面相，闹火火地从灵府中涌出，仿佛定要在目前争个高下。

他嗫嚅着，一时间竟然说不出话来。

“我……我不过是王府内的……杂役。这是在哪里？”

“王府中人，何以不知道无忧馆的所在？……我，我倒好像在哪儿见过你！”

她笑了，转瞬，又微蹙着眉头，仔细地打量起他。

往还间，他悚悚不安起来，想着，自己受伤后丑陋的面容，此刻正看在无忧馆中这明丽少女的眼里呢，一时间无地自容。可是，她如此亲昵的语气，让他想起了她“到底”是谁——他初来洛阳时，邙山道上遇见了那唱曲的少女，可不就是眼前人儿？这一言一笑之间，她曾是那般豪气英发，须臾在马上回首过来，含羞娉笑，又现出了女儿的妩媚本色。

难怪这几日来，他想起永宁寺塔中的邂逅，一直觉得有些说不出的古怪！

“你——你伤着哪儿了？”

“不妨。”阿秀伸手示意他搀扶一把，一面从地上翻身，略显吃力地坐起。

“帮我取梳子来。”

不待他帮忙，她已经放散了蓬乱的头发，从妆奁中自行取出一把犀角篦子，用铜柄的梳刷清理了几下，一边梳头，一边悠悠地说道：

“王妃由来便是如此，主人相与娱游的下婢，必是她泄愤的对象，大王近下宠遇我多些，她就有意找些借口责罚我。”

“……”

“不过主人还在府中，她也不能奈如我何，我们做下婢的，若是顶撞，哪里还有活下去的机会？还不如装作吃打受痛，苦号几声，让她发散胸中这片浊恶，也便罢了……”

言语及此，她眼中竟是露出些狡黠的神色，显得颇有城府，一时间，便不再像一个无邪的少女。

“从前……从前的夜晚，难道不是你在唱那南曲？”他怯怯地问。

“你竟知道这曲子的来历？”她的眸子里露出一丝得意，又似乎有几分伤感，“不会的。”她眼睛瞪着虚空之处，像是在自问自答，“这世上除了阿爷阿母，没人知道这曲子的。”

言语间，她若有所思，仿佛换了一副表情。宛展珠喉，她幽幽地歌唱起来：

夜相思，
风吹窗帘动，
言是所欢来。

她口中的“阿爷阿母”究竟又是谁呢？慢慢地，歌声像是听不到了。在黯淡的星光下，他只是注视着她清澈的双眼，感受到了一个晦冥广大的所在。在这个没有光亮，不知深浅的空间里，慢慢有了动静，他听见了无数的低语、抽泣，怨诽和窸窣的声响在回荡，像是一个黑黝黝的，尚未封闭的地下宫殿……刹那间，他那久已死寂的心忽然怦怦跳将起来，像是回转到了少年的光阴，那时仍是少女的妻子，和他相约地窖里一时偷欢。在踊跃无量的欢喜中，他捉住了她的双手，黑暗里，兰芝白皙的面容无法辨识，但她眼里跳脱的神采，就像是山村夜晚的几点星火，依稀可见……

“你这该死吃刀的奴子，倒是放手啊。”

他陡然惊醒，不知何时，他竟已经将她温软的那双手捉住，阿秀这一声呵责，不但没有令他松开双手，却是下意识地握得更紧了。阿秀睁大眼睛，似乎是不敢信，眼前这个下人竟这般放肆。但她并不就此恼怒，只是吃吃笑着，觉得意外，意外中又有几分兴奋。她的眉骨上，看出有一处不大的伤痕，血从伤口中微微沁出。在他迷离的视线中，血点就像一点梅花，在她的笑意中绽放开来了。

“你会唱这南曲，莫非是淮南生人？”他还没有最后死心。

“淮南？”看着他痴痴打量她的眉目，她只是取笑道，“哥哥，这般亲近，莫非是要为我画眉吗？”

“……”

“我本是晋阳人，哪里去过什么淮南？”

他闭上双眼，脑海中只浮现出一幅画面，混杂不清，仿佛手中的一大把铁钎，在高高的黑暗处，接二连三地坠落下来，只是这一次，久久没有听到它们在石壁上碰响的声音，一切有如微尘粉碎……他睁开眼睛，与她那双温淳的眼睛对视，它们便如南国女儿一般。她的颜色神情，却和清河王妃八分相似，全是北方女子的豪侠率意。

“那日在永宁寺塔中所见，难道不就是你吗？”

“永宁寺塔？”她面露疑惑不解的神情。

“那日，你明明身着黑衫，戴黑色幕䍦。”

他喃喃自语不歇，她却咯咯地笑了，忍俊不禁。

“你这南方蛮子，倒是天真有趣！我何曾着黑衣！你看看这阖府上下，可有一名女婢乌衣结束的？”

竟是全然没有听到这些言语。他紧闭在内心的困兽，被她如画的笑靥点燃了。像是从那温言笑语之中，他突然捕攫了那一种他无比熟悉的讯息，瞬时间，只觉得面前这散发着清香的躯体在膨胀之中……和那冰凉的石壁不同，这是一个绵软微茫的所在，没有形象，也没有深度，它有不歇的芳馥，引着他情不自禁地俯身，朝向虚空中一座神奇的园林坠落去。他忘却了失足的危险，像是从高山之巅一跃而下，飘荡摇扬，面前却没有任何屏隔，只有云朵浮游，长风轻飏。

……

她却一把推开了他，眼中露出厌烦决绝的神色。

“你这狗奴，好大的胆子！”

他的情欲愕然而止，像是从峰顶跌落一片冰冷的石壁，又好像由赤日炎炎的酷暑，潜到千寻深处的水底，转瞬间狼狈不堪。他再仔细打量着眼前的这小女人……她正襟危坐，盛气凌人，那琥珀色眸子里的世界已经关闭了。她一下变得如此陌生冷漠，便如他们从不曾彼此周旋一般。

十一

眼前究竟是故人还是初识，耳中听闻的，又真的是北人新作的歌谣吗？他难以断定，阿秀竟是与他耍笑呢，还是他自多感惑？她的口音分明是淮南的，口中唱着他熟悉的曲调，她又怎么会是晋阳人呢？

人们都说，洛阳是“天下之中”，可是洛阳到底在天下的什么方位，他也不大确定，如今看来，好像离着他的家乡也不远罢。对这不尽熟悉的繁华都会，他开始有点感到莫名的亲切了。

以前，他只知道中原板荡，胡人尽占了北方的土地，大军兵锋所到之处，令他这样的淮南人丧家没口，又把千里锦绣焚为一片白地，南朝百姓恨得咬牙切齿。但是现在，胡人又尽学了汉家的模样，比汉家的大人老爷，甚至更崇尚汉人的制度典章呢。听府中执掌歌吹的乐正说，如今天子毂中应有尽有，要学什么地方的歌谣，在洛下都不是难事了。敕勒川头的朔方人，如今也爱南方旖旎的音韵，胡儿牧竖苍凉的曲调，同样传遍了汉地的州府城邑。虽然未能尽得自由，天下府县的诸般好处，在“天下之中”，总是可以隐约地感受到的；即使不知身在何处，故乡的消息，总是由春风里一点点地透露出来：

淮水南边月，何足持作远？

洛阳的春天，又终是短暂的，先皇帝从朔方迁到洛都的时候，不要说他推行的那些汉化改新，就单凭南方温热的气候，也令草原上来的人们感到不适了。

十数年来，待到四月芳菲尽落，部族长老们便该纷纷离开，回到北方松漠间去避暑了，在他们心中那里才是他们的家！但是今上依然居住在新都之中，为逃离炎日的烦恶，干脆就在华林园的都亭中听政，还像汉人一般射侯、赋诗。那些领民酋长出身的部下，对此固然感到困惑不解，就连谨遵礼制的汉臣，也觉得这样太失天子的体统。可是圣人辩说，昔日高祖饯桢于华林，诏曰：“今者之集，虽曰分歧，实为曲宴，并可赋诗申意。射者可以观德，不能赋诗者，可听射也……”这便是“各美其美”的意思了，圣人要令武士弯弓，文人下笔，又何必拘于一家之法，有胡汉之分呢？无论雅俗，只需圣道不坠，自有千秋不朽之业。

都市里既有北方旷达的街衢，又有南方明丽的风景，算是拘谨和放肆的折中。郭欢及他的黑甲兵，同样不耐暑热，有碍于圣人的命令，他们不能远离京师附近，每逢流火六月，便在嵩原上会聚军士，列围大猎。仿佛只有如此，才能消耗他们旺盛多余的精力。

显然，郭欢不喜汉人风俗，也不情愿汉人部民学着胡儿的样子，在他看来，围猎只是胡人的专利，设围誓众，就如平时操练军陈之法，务必军令严肃，众莫敢犯，不是汉儿笑谑优游可比拟的。众人皆传，他时时告诫手下的健儿："汉民是汝奴，夫为汝耕，妇为汝织，输汝粟帛，其志不过温饱，汝何为学他纵逸？"

郭欢所诫勉的，恰恰是洛阳人最热衷的，无论胡汉。一有机会，像他这样的洛阳士民，就会出离坊舍，向着更南，朝着铜驼街的尽头行去，一路直至洛水的汭浦。那里有常人不能至的台阁，上延霄客，下绝嚣浮。见山堂和凉水殿上，满满都是想要远离蒸腾热气的贵人，城中烟寺相望。渡过洛桥，南边更有柏谷坞、桂坞、杏子林……都是元家子弟属意的别墅。

但逢芳华时节，人们哪怕仅是在此逋留片刻，也会看到没有拘束的风景与坊墙中的世界多么不同，水边偏门和僻巷，又如何和那些庄严的门庭拉远了距离，就连圣人，也要在宫中筑起凌云台观，累木高筑，好飘飘摇摇，随风漾曳。

暮春时节，驶风曜曜，催发着河上的帆樯，那草卉树石间略无遮蔽，一对对的，都是眉眼来去的小儿女，时时避入城隅街角，各行各自欢喜之事。看上去，这旖旎的风景，就像是府中园林的白日重现，在暗夜里不曾看清楚，那日在狂乱奔走中，却让他找到过、走通了，他还撞见了那可畏的郭欢……

他的念想就是走回这条若隐若现的密径，再次穿过那不可思议的巷陌。因此，时时借故出得坊来，寻觅那日的偶遇；他隐约觉得，在这条密径中，一定存有洛阳城里不为人知的秘密。

一次次地，在桃李芳丛中，他弃目下的风景于不顾，寻觅着每一个似曾相识的路口。

但是不管他如何追索向时行迹，却再也不能找回旧路了。

素来不慕风尘，他却慢慢关心起女儿家的情事来。每次经过府内堂前，他都要在人堆里仔细搜寻阿秀的踪迹，可是，她再未出现在寻常婢女的行列中。很快，他就全然不记得她的薄情，忘了她是如何和主子们一样，折辱过他，视他如微尘了。每有婢女遭主人责罚，他都情不自禁地担心起来，忍不住向相熟的执事者打听，受罚者是否叫“阿秀”。同侪的讪笑，他并不以为意，有机会走过佛堂的时候，他的眼神总不忘瞥过更静僻的角落，他的心思投向那些他不该去关心的深院中。

现在他已经知道“无忧馆”的名字，不仅如此，还有“凉风院”“独乐堂”……除了荒芜的沼泽，破敝的田庄，王府后面，还有一座秘密的园林。

可是，这种心情是微不足道的。很快，更让他惊怖的事变就要到来了。

第三章

一

即使过了很多年，那时曾在清河王府的人们，大多还记得那盛大凶谲的一夜。那年，将将挨过了燥热的一季，夏日苦雨，雨师雩祀，只乞上苍那可怜的几滴。暑旱稍解，未能等来大雨，却等来了不寻常的客人。那一夜，王府上下并未早早将息。仁德坊的坊门洞开，门口金仪烛曜，寓示着将有显贵要莅临府中了。

或许是为了容纳更多的宾客，宴会并未依例在东堂之上，这样就可以安放更大的场面？可是王府的后园里，小径上也站不下更多的奴子，临时召集的帮佣，只能藏身在黑暗之中，花丛后面，随时服事这处暂作宴游的去处。在“无忧馆”的南面，“凉风院”花架的下面，仅仅是客人带来侍从的坐茵，就陈列了数十具，甲士们未拘礼节，横七竖八地坐卧在草地上。他们的马匹，早被牵到清河王自己的马厩中，由太仆寺骅骝署的奉承直长，一力刷洗照料，可是来人兵器并未离手，在到府中做客的贵人们看来，这是大不寻常的。

除了内作署自己的人手，各处抽调来的奴子，都已就位在各自的差遣上，等待着主子随时的号令。两天前，清河王早传下旨意来，吩咐东厨具膳，就在后园的北阁子支镬生火，就近侍宴。随侍的仆役，包括他们这些杂役在内，都要先行沐浴净身，说是免让客人闻见了异味，心生反感。

眼见着，一场不寻常的盛宴就要开始了。

“贵客究竟是何人？能让阖府上下如此劳动？”

“多问何益？安心你的差遣便是！”在身边，陈阿财没好气地回答。从他刚到府中那刻开始，他的伴当就颇不喜欢回答他的问题。

“可是，我从未在东厨服事过。万一乱了次序，会不会又责罚及身呢？”

伴当就连回话都懒得提起了。对他而言，这未尝不是一桩轻松的工作。王府中内作署人手众多，大概不会真的需要这些做粗活的奴子帮忙。如同万佛洞中那般的排场，不过是显表威仪，营造出仪卫如云、歌吹满路的阵仗罢了。

他不再多言，只是好奇地打量着这个庭院：在悬星下，翕习风来，草木飒洒，巨大的树枝在头顶摇曳。他从未涉足过这里。确实，若非这份差遣，他也不会那么近地看到府中的禁地，如是噤声不响，也没人会察觉随侍的奴子多少一人，于是，他默默走开了……第一次，他不是私自窥探，而是堂皇地走进了后园，看清了里面隐嶙的景象，辨出了它涵蕴的意匠。蒙茏茂密的山渚，就像一幅细密的画卷，在这么近的距离内展开了，他在深邃的树巷中走着，就像是置身于山中的岩谷间，小竹细笋，勾勒出如同曲巷一般的道路，那让人好奇的夜宴的大场面，分明就在树丛的后面。可是，不过是一眨眼的工夫，领班的奴子止住了他的去路，向他瞪眼怒视。他呆立片刻，方才醒悟到，在这里，和府内一样，并不真的可以随意走动的。

面前，又是一丛浓密的桂树，就像他时常在后园中窥见的那种野生的桂树。密密匝匝的树篱环绕着庭园，地位低微的仆竖，轻易，是看不到树丛后园中围坐的宾客的；一堵不寻常的“墙壁”，黑黝黝，冷冰冰，横亘在他们的正前方，阻住了下人的视线。

照说，一切都是看不大见的，但是，冥冥中又仿佛有一双眼睛，是要提点出庭园深处发生的一切，追随着那黑暗里的目光，他能遥遥地感受到，就在不远处即有许多“风景”。在围绕着晚宴的地方，有数百枝摇曳的折枝烛火，光火照不到他身处的这一面，只是映亮了黑暗处深碧的水潭，但荡漾水波的闪光，又折返向头顶的浓荫，风中的树叶一闪一闪，像是空中升起的微弱炬焰，在习惯了黑暗之后，他瞥见了面前蔽眼物上的细处。

身在桂树丛中，他看到眼前原不是普通墙壁，而是一架巨大的云母漆屏，漆屏上另有一丛“桂树”——不过，是画出来的桂树，树后掩映着一座金色的空山……空山上满覆茂密的林木，山脚缠绕着蜿蜒蛇行的水流，尽是公子王孙，浮泛在川溪之上。画中人物之大，和山水并不成比例，倒是让漆屏上的另一场“宴会”突显了，在时时闪过的光华里，画面的细节毕现在眼前。它是山外山，宴中宴，耳听目见，并不一样，却又若合节。

他向那屏风只看了几眼，就不能自已地向画面中直坠进去。

寸许大小的人物，金香炉，琉璃钵，琥珀酒杯和各色精美食器，并一旁架设起的锅灶，用来就近加热在膳房烹制的食物，主人举杯劝饮，宾客躬身答礼。不用多看他也知道，画工画在这画面中的景象，便也是画屏后那真实夜宴的布局了——至少不稍差违。难怪，屏风会出现在这里，摆布在宴会的近旁。他凝视着黑暗中这唯一可见的画面，又闻到金熏炉中飘来都梁香和辛夷蕙草的芬芳，银箔云母被烤得热烘烘的，隔断了下层的熏香直接向上的传递，使得这气味只是一点点地散发到夜晚的空气中来。看见的和看不见的，一并让这夜晚充满了生动的气息。

可是与此同时，画又毕竟是画。那云母薄片琢就的人物脸上的微笑，屏风上他们挥舞的手势，冉冉升起的食物的香氲，连带跪伏在地的他，都凝结在静夜中了，和真实世界里发生的一切大相径庭。树篱之后，隐约传来婉转的丝竹声，和宾客对答的欢声笑语，就像是从另一个世界里来，嘲笑着面前，并催促着这停滞的阴影中的一切。

他不甘心，他不愿只是如此惰怠地注视着目前，自从涉水到达后园之中，他的好奇心就从未将歇过，夜复一夜。现在，没人注意他的行止，他在黑暗中缓缓直起身形，不露行迹地闪过画屏，轻轻拨开密织的树幕，小心向庭园深处的光亮望去。

在随风摇曳的桂树丛中，果然有一坪庭地，空园四隅，四盏三尺高的青玉五枝灯照亮了园中平铺的白沙，席中仅有三五个人，相向而坐，面前是摆满菜馔酒器的食案。为他们递上手巾唾盂的奴子，跪坐在宾主的身后，还有一大群随奉的婢女，在席间烹镬，升鼎，载俎，侍馔。他们诚惶诚恐，进退都是尽量地恭谨轻慢，生怕搅扰了三人的对谈。

面对着他这边的两人中，有一个质状魁伟，身着黑衣的男子。他衣着单急，企脚而坐，姿态看起来不甚恭谨。居然是那让人多看一眼便心头生畏的郭欢……

而空地的一侧，另一个正抚琴挥弦的女子，却并不是王妃，而是另一个年轻美貌、颜色熟悉的女子，他甫一看到她的面容，不禁倏然止息。

那可不就是阿秀吗。

那看不清面目的两人，有一位显是清河王，大王危坐于他屏身处不远的沙地上，整个身子背对着他。他看不见清河王的侧面表情，只看得到大王一只按在漆案上的手。他的手宽大多肉，肤色美净，柔软得连寻常女人都会艳羡三分。

再依次看来，同样背对着他，和清河王并肩而坐的还有一个女子，那想必是王妃了。但无论如何，从他藏身的这边怎么调整视线，也决计看不见她的正面。

他心头微微失望……就在他出神的刹那，忽然踩着一块长满青苔的石板，不禁脚下一滑，树丛后一声当啷的轻响。

琴声戛然而止，他登时面无人色。难道，席中人已发现了树篱后有人偷窥？

——好在并非如此，那只是一阙奏毕而已，顷刻，又一支曲子，已经在夜空之中悠悠回旋了。

琴音幽远，造作出一个古雅娴静的夜晚，四周本来寂无他响。然而，桂树林后的背景里，却慢慢浮泛起一种奇怪的噪声，声音不大，但分外刺耳，仿佛金铁敲击，又似瓦釜远鸣，在空旷的水面上空回荡，回荡，扰乱了园中人自得的清赏。这会儿，晚风吹过了庭园，随风荡漾的浮云，令得夜月只能时隐时现，不甚明亮的月光下，四面起伏的松涛，看来像是一片深不可测的海洋。

一大群婢女川流不息地侍奉着肴馔。席中尽是玉浆白饮，用以宴饮的器皿也极尽奢华了，或金银，或水晶玛瑙，或漆或石，新鲜的牛、羊、獐、鹿肉，想必不会太少，加姜、荜茇、胡椒、葱白，再有橘皮、盐豉、酸醋浸渍，调和出诱人的气味，使得观者垂涎。来客既分中外，清河王府准备的食谱，也兼采了南北之长，胡羹、酪酥、髓饼、秫饭、胡炮肉、“跳丸炙”之类当属西域做法，豆腐、笋、蕈、麸，又是时下洛都流行的南方口味。

下人们这边食谱也很丰盛，羊肉和猪肉一起细切，拌着肉桂、木兰，盐混合豆豉，小口烤炉中，牛骨髓油掺和着蜂蜜，散发着香味，即便简单的葱头，黄粱，苦羹，也能宰调酸甜鼎和。就是那些除去戎衣的粗犷武士，也忍不住饮酒沉醉了，园中席上，却只有不大动声色的三个人，余人眼睁睁看着他们吃罢，才有资格动箸。矜持的主客，都不大在意饮食，大多数盘中的品目，他们连看也不多看一眼，便示意撤下去，难得吃上一口，啜饮半杯。如此，十数个回合。

他们看上去与其说是相晤甚欢，不如说是在积蓄力量，准备一轮兵不血刃的较量。

二

“……昔日孔子与齐太师语乐，闻韶音，学之，三月不知肉味，‘尽美矣，又尽善也’！不知将军意下如何？”

他听到不大连续的对话的开始，是清河王的声音。主宾寒温已毕，真正的回合该开始了。

郭欢嘿嘿一声冷笑。从他藏身的屏处看过去，尽管相去甚远，那眸子里两点阴鸷的寒光，依然让他在树篱后微微一颤。

“王爷言工了得，某乃粗人，鄙塞尘陋，只知斗鸡走马胜读书啊。”

背对着他，清河王似乎是尴尬地一笑。

“什么又是将军之乐呢？”

“大王之乐，是‘手挥五弦，目送归鸿’。我昔在草原上，骑快马如龙，与北荒子弟数十，拓弓弦如霹雳响，箭如饿鸱而鸣。在松泽中追逐麋鹿，待它绝望，力竭而死，渴饮其血，饥食其肉，甜如甘露浆。但觉得耳后风生，鼻头出火，此种快乐，就犹如战场上飞驰斫去敌人的头颅，才使人‘陶然忘机，不知老之将至’啊。”

那个许是王妃的女人却开口了：

“男子们说的都是军国大事，在祀在戎。可良夜如酒，佳人如画。难道，将军就不为之心动吗？大王不堪其忧，将军何妨一改其乐？”

虽然不懂这往还之中的深意，他却情不自禁地打了个寒战。第一次，他这么清晰地听见了这个女人的声音，她的语音里虽然带着娇媚，他却分明听出来，这里面有种不可冒犯的矜持，一种冷静得近乎残酷的庄重，和他的兰芝绝不相类。

——这一刻，所有人都期待着郭欢的反应。

郭欢没有回答，良久，居然和善地笑了：

“人皆说，清河不仅权大倾国，还有信陵孟尝的肚量胸襟，信哉！某之鲁钝，阁下洞逸，一望便知！”

说话间，郭欢在席位上挪动身形，凑到了演奏者的身旁。他打量着清河王夫妇的反应，徐徐趋近，竟一把捉住了阿秀的两只手。

他的心头剧烈地一抖。

郭欢跂坐，温存地抚弄阿秀，不住地把玩她的双手，本来阴鸷的双目中，此刻却露出少见的热望。阿秀不得不停下手中的活儿，她半倾在郭欢怀中，神色羞赧而惊惧，但也不好做丝毫的反抗。这一边，王妃夫妇的背影却是纹丝不动。

“至尊已有，我何意无？”

藏在树篱后的他看不见清河王的表情，听上去，大王像是再次尴尬地一笑："将军好眼力！这女子本是我的恩物，未便悬许他人。不过常言说：宝剑与壮士，美人侍英雄。如果将军有意，那么我未便夺君之愿，自当割爱了。"

"此话当真？"

"将军！何时听闻在下有食言的时候？"

话音未落，郭欢腾的一下又立起身来，这举动出人意料，在座诸人，包括树丛后的他都不禁为此吃了一惊。只见郭欢却走到清河王和王妃的近旁，低声向他们耳语了些什么。随即，他快步走回自己的座席，笑道：

"不愧真名士也！吾辈虽粗人，但也从不做掠人之美的事情。佳人故自君属，我只取那绕梁三月的韶音，这份厚礼我只收下一半。如何？"

"既承君言，我也算是做一回名士了！"

说罢，郭欢狰狞地长笑数声，俯仰顾盼，旁若无人。一时间，众人都愣在了那里，不解其意。在他的笑声里，弃置一旁的阿秀，却嗅到了风暴来临的气息，不自主地浑身发抖，委顿在琴座旁。蓦然间，他看到清河王急急扭身，向他藏身之处看了一眼，像是要在这园外的黑暗里乞求什么，又像是鏖战正急的兵局里，下意识出神的一刻……在那转瞬即逝的刹那，众人都呆若木鸡，只有他却"看到"了。

他第一次看清了清河王的面容。

那本是张白皙的、不类中年男子的俊朗的脸。

但那张脸上面无人色，也没有什么喜或悲的讯息，那张脸不知道是面具，还是妆容。

只是须臾，那个背对着他，许是王妃的女人咯咯笑了起来，打破了黑暗中这片可怕的寂静。她的略略颤抖的笑声，听起来毛骨悚然，在深蓝的，没有星光的夜色中，片片树叶随着笑声颤动：

“这又有何难？但恐燥湿不至，何敢蒙谢！”

她做手势示意，缓缓地，却是果决地戟指着阿秀。慑于她的威势，迟疑的阿秀起身退下了，未行得几步，却又不免回首顾盼。这女子望着清河王的座席，仿佛哀乞般地，脸上满是惊惧的颜色。在座者也是面面相觑。而这一切，王妃竟是看也不看，她挥手让下人进来，轻声向他吩咐了什么。

那人的表情遥不可见，但树篱后面，就是旁观的他，分明也感受到了仆役颤抖身体里的恐惧。这怔营的情绪飞散开了，像是由刚才的一刻，染透了每一张他看得到的脸，让一席人跪坐的身形越发僵硬。鼓吹一时消匿了，烛火只是在夜风里不停地摇曳，庭院里洒满了道道张皇的鬼影。

奴子有些踉跄地退下了，就此没了动静，宴席旁的主宾自顾自地斟饮，再也不发一言，仆竖们都像被施了定身法一般，动弹不得……接下来，一阵长得难以置信的，使人难堪的沉默。他，不明所以，在这沉默中，却面临了巨大危险的来临，既不知它究竟来自何处，也不知此刻理该逃离，还是继续在此淹留。他心头怯意滋长，这怯意终于打消了让人继续窥伺的念想，他转过头去，看也不敢看树丛后的一切，一寸一寸，悄悄挪回到自己原先跪伏的位置上。

终于，一声低低的女人惨叫，将所有人从懵懂中唤醒了。

自到洛阳，他已许久没有听见这样的惨叫了。它像是从地狱的某个深处传出，凝聚了无边的苦楚和恐惧，又像是被割喉的冤魂嗓音暗哑，不能尽情发声。他将目光投向那惨叫的来源，黑暗中，一张苍白而扭曲的面容转瞬即逝，夜风吹过，枝叶颤抖，一时间，鬼物般的树影突地从垣墙上生起，迅疾地掠过园中光亮的角落。于是他的脑海中，倏然滑过“地狱轮回图”中那一幕情景，只是这一次，那受难女子不再是张空白的脸了——她就在面前，圆睁着眼睛，大张着嘴，脸上筋肉虬结。

幻觉消失了，树丛旁庭燎中，只见得人群骚动，黑暗的潮水中，忽起了一片无声的波澜，执事者手持着金釭从园庭中赶来，灯盏照向看不见的一角——但那儿并无任何女人的踪迹。

仔细打量，未见端详。踌躇间，只看到厨子们切肉的俎案旁，一具石像倒在路边，无端端碎作了几片，石案上别无他物，唯见一具黄绸遮覆的金盘。就在这骚动的片段，园林中僵住的各色人形，竟又纷纷活转过来了——他们好似恍然大悟，脸上惊恐的表情各不相同。

所有的眼光都投向这金盘。

旁观者大多面色苍白。就在他们中间，执掌膳食的奴子目光呆滞，汗水涔涔，手里还虚捏着一把滴血的尖刀。他尚在思忖适才究竟发生了什么，那边王妃已经开始催促。

“奉馔！”

这一刻，原先奔忙不迭的仆竖们却出奇地沉默，人群情不自禁地围拢去，却又下意识地和中心保持着距离，大家面面相觑，似乎谁也不愿担当这趟晦气的差事。造次间，那领头的奴子忽然看到了瑟缩在一旁的他，像是找到了一根救命稻草，急忙将那金盘塞到他的手中，一把将他推向前场。

他知道，那巨大的危险已经临近了，他要逃离……可是瞬时间，他忽然全身发软，像是自己的意识快不能左右躯体的行动，他的双手本不欲承受金盘，他的眼却直勾勾地望着桂树后的王妃，她正端坐在白沙上的漆案旁，催迫的目光直入他的内心。糊里糊涂地，他就这么接过了金盘，被一群人推搡着，也被那目光牵引着，走进了树篱后的晚宴。他的手剧烈地抖动，行走间他佝偻的双腿竟像是一堆烂泥。

走近王妃的刹那，他忽然醒转，像是灵魂附体。他的双手重又感受到金盘的重量，这冰凉的金盘里的东西不仅沉甸甸的不类常物，而且气味血腥，像是刚被屠宰的牲畜内脏的气味。

“这，便是那可以三月绕梁的韶乐不成？”

那是郭欢故作惊讶的调侃，他阴冷的声音听来有种说不出的诡异。清河王依然背向着他，看不见表情，口中喃喃，像是回应郭欢，又似说给自己：

“幽显报应，有若影响！”

郭欢毫不理会，只是稍稍颔首，像是要确认他最终的胜利。一瞥间，认出了面前的工匠，曾在洛阳大道上冲撞他的工匠。纵然成竹在胸，在这一刻，无名奴子的重现也让他有些意外。他在那凝固的空气里微微一怔。

“揭开它！”一个女人漠无感情的声音在他的身旁响起，他直愣愣地注视着他们，失去了思想。一时俱寂，这声音有如一道从天而至的霹雳。

金盘在手中摇晃得厉害，它像是有千钧的重量了。一瞬间，他浑身的血液都涌上头顶。

黄色绸布下的金盘中，哪里是什么佳肴啊，那是一只女人的断手，阿秀曾经用来抚琴的手。

就仿佛万佛洞中惊厥的那一转瞬，他情不自禁地抬起头来，睁大了眼睛朝着王妃。

他看到的还是那张那么熟悉的脸孔，那如琥珀般清澈的眸子，那张完美的脸上，这一刻却是他从未见过的，无比残酷的表情。

"是你！"

就在他丧失知觉前的最后一刹那，他听见她轻轻地说。

三

他像是丧失了知觉，动弹不得，也言语不得……但奇怪的是，就在他的身旁，这晚宴似乎还在进行着，对话持久……三个人回换了座次，这回，清河王夫妇面向着他，背景里金碧辉煌，就像是一具小小佛堂，郭欢能见的仅有脊背……他竭力举头，想看清楚更多的东西，却为狭小的视野所限，就仿佛身体已不受他的控制。他眨眨眼睛，眼睫好像是丢失了，就连不自由的魂灵，也一同捆死在僵直的躯体上。

食具皆已撤去，面前只剩下镌花鎏金的桄案。在三人的中间，满被白沙的地面上，有一大方嵌入地中的青石石坪，上面镌刻着条条弯曲的水道，泉水各自由座席某侧流入，又向稍低的另一端宛转流出，彼此交汇、交织。三个人，并不是即刻饮完杯中美酒，而是各饮半口，将他们的酒鎗丢入席前各自一端的水道，银口黄耳的酒杯立在鸟禽状的木船上，顺水道一路直下，在中途相遇，当啷一声，寂静的夜中余韵悠悠，好似两人碰杯一般。旁边，立刻有随侍的小童上来，将重新斟满的酒鎗递还给三人。

三人神色自若，就像什么都没有发生过一般……对他们而言，那可怖的一幕不过是序曲，宴会中真正的议事才刚刚开始啊。

清河王：……近下将军可曾去看过永宁寺？军中将士，可备操演来年朔月的朝仪？

郭欢：永宁寺？宝塔高华，雅闻如今朝中诸人，谁不想在大王大功告成之际，捷足先登哪？不过，俗家、黑衣有别，官人、沙门有分。领兵、镇戍才是吾等的本分，视察工程，应该是典作大将、副将的事。

王妃：整个工事，可是耗费了我们五百万缗哪。

郭欢：六镇城人呢，投入的劳力怕也不在少数吧。

王妃：编户齐民，是宣谕教化的所在。部落纷乱，虽百万众，无刑无法，使他们离散，方能统御，方为国家的福祉……

郭欢：依我看来，不得欺胡儿，不得犯军令，至于汉奴生死任吾则可，不尔，不能不为天下取笑啊。

王妃：马背上的健儿终自灰灭，汉人制度自有它的用处，城邑大者垂千百年，使我元家基业金汤永固。

郭欢：王妃，在下谬僻了，您可曾听闻——贤者筑城，妇人摧之！

清河王：将军这话是何意？

郭欢：休要误会。不过是玩笑罢了，我们凉州人有句话，叫作“造新不如修故，作福不如避祸”。我不欲预人家事，只是忽然想到，美人将老，春宵易逝，世间珍贵之物，皆不易久长啊。只有在刀口上，才是男儿的天地啊。

郭欢的话音刚落，清河王倏地站起身来，原本平静如一潭死水的脸上，像是突然现出疾风暴雨，白得透明的面容里，可怖的双目，就如同灼灼燃烧的炬火。

清河王：你们何忍，你们何忍！下这样的毒手，宁无情乎？

郭欢：汉家儿常言，君子有济物之仁，然而，他们要么生平都在泥里粪里，谈不上有恩及枯骨的本钱；要么生长在锦绣丛中，未知人之情伪。王爷久居洛下，看来是心肠软了，怕是久未回到草原，不惯征战了吧。

王妃：七尺男儿，何能让一个歌伎扰乱了心神，倒是让郭将军笑话了。

清河王的眼中原本淡无波澜，但此刻，他僵硬面孔上的两只瞳仁，却有点点的泪光闪亮在其中。

清河王：她是，她难道不是……

王妃：那便是了，既然是至亲，你又何能让一己之私，颠倒人伦之常？

清河王：我倒是要问你，金枝玉叶之尊，又何能让满城非议纷纷？

王妃：我为我所欲！我倒想看看，谁有那么大的胆子敢毁谤皇帝！若是小儿嚼舌，捉来割了他们的舌头！若是朝臣乱议……

郭欢：这真是让我看笑话了。天下安置在王，诸位都是朝廷的喉唇，诬下罔上的，自当砍他们的头来。以王爷之尊，难道也管不住女人们的事吗？都说鲜卑人家学了汉民，都由妇人们做主，看来真是如此呢！

就在三个人都不复言语的时候，忽然传来了凄厉的号哭……毫无征兆地，那个被截断了一只手的歌伎阿秀，用她血淋淋的残臂，挟着那已空无一物的金盘，闯进了眼前的画面。

她的哭泣……就像是一颗石子丢进了平静的水面，将眼前所有绚丽的狰狞的怪谲的景象都击得粉碎，有如平地动荡的山河，所见的一切，须臾间都变得摇晃起来。

虽然依旧不能从这景象中脱身，他已经知道，这故自持续的夜宴不过是自己的幻觉，一切不过是噩梦中的妖魔，是心魔所催化的异境……他要逃离，可这噩梦却不易醒转，水面平静下来，溃散的鬼影又纠结着，集聚成了新的幻象，阿秀断手上的点点血污，忽地就糊成了云母屏风上又一片金色的山水，照旧熠熠闪光……他凝视着这奇瑰的画面，动弹不得，好像只有这只手还属于他，又不属于他；他不敢想，这只手是否也是血淋淋的，它此刻也有自己的思想。它在虚空中升腾而起，像在寻求，寻求与那画面沉重的一触。

既然动弹不得，他索性又丢下一颗石子。他凡想着什么，虚空中的那只手便随着他的心意挥舞：那是一颗更大的石子，在镜子般的水面中沉落，好去催生另一重幻境。这一次，水面平静之后，他看见众人都消失了，只有王妃还站在他的面前，她白皙的面孔依然庄严，平静的嘴角带着一丝微笑。令人惊愕的是，这一次，她的全身近乎赤裸，周身上下只披着薄薄的一层纱衣。那遍布诱惑的胴体和她冷酷的表情，便是如此不协和地组合在一起。

黑暗中，伸出一只枯干的男人的手。这手断然不是他自己的，因为苍老而无力，它不似清河王的手那般松软厚大，也不似阿秀那只失血的断手那般苍白痉挛。这只手不知从何处伸出……

但这只手却开始在王妃的身体上左右摸索起来。

在仿佛中，他又回到了园后那片巨大的沼泽，又是男女的调笑依稀可闻……他听不清楚，这都是谁的声音，只知道这些是他久违了的响动，像是丈夫对妻子无尽的温存，像是无猜的情侣间絮碎的呢喃……他诧异自己何以就这样脱离了险域，转入如此旖旎的境地。但是，用不了多久，这些碎金乱玉般的声响，也如潮汐一般，在如海的夜色中很快涨起，又在他的梦境中迅疾地退去了。

四

那血腥的一夜后，整整一个夏天过去了。王府之中，弦歌将歇，喑无声响了。

不知究竟发生了什么样的变故，阿秀不见了，主子们也从此隐了身。就算他有意守在府中的关掖处，时时伫望，他也没能再见到王妃，终究，缘悭一面。苍头们风传，那是她和王爷近下有隙，再次进宫去长住了。

府中既然无主，上下散淡无事，诸项工作，也重新拖沓起来。永宁寺的工场，迟迟未征发他进塔去服役，就像将他完全遗忘了一般。塔中工事，本来就少用石质的圣像，大工营造，砌造台基，围栏，都是粗琢，用不着像他这般好的手艺。他纵然好奇，也没有借口再进塔中去寻觅了。

这一日，不知是哪一阵风吹拂，惰怠的执事者，忽然记起了府中还有几名石匠。大笔一挥，他被遣去监督府内的大小石作，差到后园中修葺山池。

他又领到熟悉的工具，难免啼笑皆非，又有些隐隐的恐惧。要知道，除了那一夜，他还从没有在白日里，堂而皇之地靠近这片隐秘之地呢。

到了后半日当值的时刻，侪辈传唤他了。缘着人们刚刚修剪好的树篱，他缓缓走向后园的深处，秋雨淋漓，这不是一个做工的好时节，虽是隔着蓑衣，他也感到了泠然的凉意。他踩着脚下的泥泞，看到半坊之大的园林，原来起起伏伏，走到高处，不仅可以看到如海的屋面，还能俯瞰坊外的人家，在迷蒙秋雨之中，满城的烟绿都已染了红黄，树缝里现出不知谁家的宅院。

他也不知自己去哪里。要不是走到转角处每每有人指引，就算是白日，他也分不清后半坊幽阻的园径。它真的大极了，仁德坊中，未及起屋开耕的野地差不多都圈在园中。一大片迷禽暗日的深林，大概王府落成时就在那里了，中间只及剪出一条窄窄的通路，循着园径，路的尽头，横亘着一座土石堆就的假山，转过假山去，仅有一小块修整过的平地，却是这座园林的中心地带。

仿佛是谁清理已毕，凉风院旁寻不见夜夜宴乐的所在了。在白日里，这朴素的园林是苦想岩壑的去处，看不出什么舒芳耀绿的点缀，谈不上穷精极丽。在那儿，仅仅是铺满洁净的白沙，环绕着密仄的绿芜与篱墙，陈设着讲究的几案和围屏，阶砌上下，骈阗着数十种从天竺、南越、新罗搜集来的珍稀卉木，几块棱嶒的怪石，似乎是随意扔在其间，上面久已爬满了碧萝苍苔。那深青色的苔藓稠密，冷湿，宛如一潭凝结了，不能再流动的湖水，巨石在其中如独出的孤岛。

白日里园中少有游者，人气寥寥，好像换了一副模样。可是，他分明是来过这里的。眼前的场面看得那般清楚，如此熟悉，仔细看去，树下的沙石中还残留着殷红的血迹。

那便是那一夜郭欢与主人夫妇宴饮的地方啊。

一躯半人大小的石像倒在路边，碎成数截，他一眼看见了，又想起那夜的骚乱，难免心绪澎湃。呆立半晌，他才开始想着修补的工作，没人援手，只能一个人，吃力将大小碎块扶起、翻转，又按它原有大致的形状，摆放在一处。对他这熟练石匠来说，缺了一角的石碑不难修补，找块合适的石头雕成缺失的形状，再补将上去，也就是了。但石像碎得厉害，他整理到最后的残块，看清之后，吃了一惊。

圣像的躯体还在，却没有面孔了，削掉了半个头颅。躺在草窠里的大半面部，就像一副毁坏的面具。

石像并非泥人，如何才能让新的和旧的连作一体，密丝合缝？就除非把石头凿薄，然后好像盒子盒盖一样，扣接在一起。还要找到几根铁钎，用来穿连石材，却要回到料场旁的作坊里去，央求铁匠师傅。他欲便道返回，情急之间，却找不到来时的道路了。

就在廊庑尽头，树篱前，赫然是座大山。巨石削面的洞龛里，这时现出了一具石案，上面供奉的佛像却不知去向，不会，竟是在草地上摔残的那一躯？他走近石案，看到石壁面荧荧有字，依稀相识，分明是刘胡教过他那“基本经”中的偈语，字字涂着金漆。

他未及细看字迹，听见遥遥的树篱后有人低低说话。

“阿秀是主人所爱，王妃又何能这样忍心？”

他心头一动，便悄无声息地向那两个交谈的人靠拢过去，想要听得更加清楚。

“那自然也是事出有因的。主人和王妃素来不谐，你在府内待了这些年，分当明了才是啊。”另一个年轻点的接话说。

——他们听起来身份相近，都像是清河王府的内侍。

“他两位素不合怀，我等不明就里。胡儿的风俗，还真的是与咱们汉人不同。”

“可不是，咱们看他是礼法弛坏，焉知他不是自来如此……迁洛之后，圣尊倡导，很多耸人听闻的胡俗，本都渐渐废除了……”

另一位说到此处，语速突然急促了起来：“我刚刚听说，主子们还在草原上的时候，有各种匪夷所思的规矩。假使先君龙驭上宾，选定之下任头领，需要在一张黑毡之上，绞他的头颈，使他复有一息时，道出弥留时所见的妙景，所听闻的神谕，如是数三……过了这回，才算是真命天子。这好教人不解，天下哪有拿命来试的？万一大头领不曾缓过，岂不是白白断送了贵人的前程？”

“毕竟他是主子，咱们是奴子。这般牢骚，还是休教他人听见了……”

“你知道，主人时常在永宁寺塔上违禁留宿，那是为了何故？”

“何故？”

“那还不是王妃时常入宫，王爷时常烦扰？塔高九十丈，宫中情势，塔上自然一目了然。塔中机关重重，将来贵人们入塔礼拜，在那塔中，也少不了府中的埋伏……”

“嘘——”

“王妃入宫，自然是迁怒于主人，主人移情别恋，倒也不是一年半载的事，何苦相煎甚急？”

“噫！朝中乱局，可是与王妃入宫大有干系啊。过恶累积，贪纵如此……”

下面是低低的不能分辨的耳语。间或只听见“郭欢”两个字。

“万勿再和别人提起此事，否则小心你的全家性命。”

“王妃难道不是大家的亲妹妹吗？难道他们还能……”

这话头被生生地切断了，接下来是惊恐万分的急语：“心里明白就罢了，怎能说出来？”

便再也没有声音了……

他想到了阿秀和王妃相似的面目，又想到深夜阿秀在清河王后园中曼声而歌的南曲，一时间只觉得毛骨悚然——想不到的是，这外表光鲜亮丽的名都洛阳，由草原上的主子入据的汉家的城池，它的内里竟是这样诡谲的……外表规正的城坊，核心处却是一座黑暗中的花园。

先皇帝的旨意……国朝风俗，多有播传……听起来是那么冠冕堂皇。可是，这真的是人们内心所想吗？

他现在有几分相信刘胡的话了：王妃绝非兰芝，因为这样险恶的情事，他的兰芝是断然不可能卷入其中的。

可他又深深地感到困惑，难道，王妃不是长了一张与兰芝一模一样的面孔吗？

还有那清澈的、琥珀色的眸子！

五

仅有的灯盏在黑暗中，已经不够看清周匝了。他不敢起身添设火烛，一切只剩下最微弱的光与色。他恍然思索着，这些天来目击的、听闻的……一切。

纵使王妃不是兰芝，纵使她已经变得心如蛇蝎，他也愿意一辈子侍奉她下去，任她差遣，替她分忧，甚至任她叱骂责打，只需换回哪怕是一刻与她四目相对……使她知晓自己这勤勤之意。一切，都是因为，他太需要剩下的这个形象了，这世上唯一他不能舍弃的，那在他心中发酵了多年，此刻又如海涛般腾涌起的形象……他甚至隐隐地感到，相较于他对兰芝的爱慕，他似乎更离不开眼前的女人，那慕仰里掺杂了几分敬畏，又有几分难言的，和夫妇之爱截然不同的情欲。

几分灵肉混杂的，憎爱交织的，深深的耽溺……

手头并没有锤凿，但在他的心像中，那第六千八百三十五尊圣像又浮现出来，他每每在夜半的柴榻上惊醒，常常情不自禁地伸出手来，在虚空中摩挲着那张他幻想里的面容，佛的、兰芝的、王妃的，或是阿秀的……他对这张面孔的思念，是爱慕、敬畏、同情、惋惜……以及其他他说不清的东西。他的手指颤抖着，滑过她光滑的挺正的鼻梁，滑过她薄薄的、紧抿着的骄傲的嘴唇，滑过她饱满的、圆润的脸庞……与此同时，他也隐隐想到，这一切却不是天造地设，不过都是拜他的巧思所致，原有裂痕的圣像，经过他细心补缀，从外表已经看不出来。不仅内部的空洞隐藏得很好，两石接触的断面，都贴合得密丝合缝，新的石像整体又经过数遍磨砻，如同溪水长年洗过般光滑闪亮。

这时，像那洁白石料一样，他的心中坚实充盈，充满了对造物者的敬畏和惊诧；有一瞬间，他甚至忘了自己在做什么，忘了石像的完整只是幻象，内里的断面仍破损如初，就好似一切从未发生过，不管是最初的雕镌，还是后来的修补。只是，这种充实的时刻并不能持久，他的手臂会无力酸涩，会松弛而又颓然落下，这时，他的幻境并未完全消失，而会转至人间种种，他的手会无心触及她衣衫裙带下绷紧的躯体，那里面并不平静，而是犹如严冬的炉膛一般火热，这时在他的体内腾起一股升涌的巨浪……

他面红耳赤，口干舌燥，他情不自禁地去亲吻那虚空中的形象，却见到那女子美丽的颜色突然变得狰狞扭曲，双目犹如炬火般可怖……大惊之下，他伸出手来，重去摩挲那女子的面庞，想要确认自己是否仍在梦中。

但那女子同时也跟着伸出手来。于是，他的手真触到冰凉的墙壁，手指曲折得一阵生疼。他睁开双眼，面前浑无一物，除了一面蒙昏的小镜，在手中映出淡淡的星光。

镜子的反面，镌着六个并不难认的字："久不见，侍前稀。"

他忽然明白过来，那幻象中的"女子"原来也便是他自己啊。

六

这一个秋夜，更漏已深。没有月亮，星空也格外沉郁晦暗，他乍寐乍寤，耿耿难眠。

于是，偷偷起身溜出厩院来。在蜿蜒蛇行的巷曲间，他摸索着脚下黑暗的小路，闲游到了紧靠西南角的偏门，使他吃了一惊的是，以往坊门里外都是严严扣死，这一次却居然没有上锁。

铜驼街上没有一星飞扬的尘土，连时辰似乎也已沉寂。

宵禁的时分早已到来，深夜单行在御街上，不要说他这种身份的贱民，就是寻常官吏，也是大罪一条。但他早已没有了害怕，脑海中似已变作一片空白，只知道贴着坊墙旁的水沟，鬼魅般向太极宫的方向挪去。偶然有持时行夜的吏卒，他只离他们远远地行走。

刚转过一个街坊，突然，有飞驰的两骑迎面奔来，几乎与他撞了个满怀。他大惊之下，无意识地跪将下去，瑟瑟发抖中，连一句话也说不出来。奇怪的是，那两个黑甲骑士不过勒马少停，回头瞟了他一眼，就仿佛是瞥到了一个路旁的土堆，便头也不回地走了。

过了许久，他麻木的四肢才又恢复知觉，便立起身来，又只管向前行去，不知什么时候，已经全然不识道路。在黑暗中，那原本是直通往太极宫的铜驼街，像不可思议拐了个弯，把他带到了一个从未去过的所在。夜幕里，永宁寺塔巨大的身影故自可辨，他在塔下不远的地方流连，塔尖影影绰绰中那一抹灯火，抬头望见。

又亮了呀……忽然，他想起那两个下人关于清河王偷窥宫禁的议论。

像中了邪似的，纵然发足狂奔，半个时辰内，他却怎么也不能向这塔逼近一步，也不能找到那条来时的宽阔大路。就这样，他走过了一个又一个城坊，一扇又一扇紧闭的坊门，时不时被大道上散落的石块所磕绊，或是不小心滑倒在野狗的秽恶上。灰头土脸地，他就这样狼狈走着，听得见满城的低语，有夫妻间亲热的呢喃，有婴儿的夜啼，有野鬼孤魂们恶毒的咒詈，还有深夜独守的宫女们的泣诉，如怨如慕。但所有的门扇都紧紧关闭，不向他开放。这一切被重密的土墙，和不透光亮的坊门紧紧包裹着，无法穿透。

走着走着，沿着迷宫般的道路，忽然，他横跨一道廊桥，穿过了一重乌头门，像是终于进入了一所宅院或是寺庙。远远的地平线上的弱光，映着台基上嵯峨建筑的剪影，阁道虹桥，攀爬在忽高忽低的殿宇之间。他仰头望去，正看见柧棱上栖凫的金爵，披染着星夜的微熹，凤阙重重飞起的檐角，黑黝黝宛如骇人的怪兽。

偌大的庭院之中，一片静寂。

一切都看不大真切，旋室重深。只有一处，承了不知何处洒下的晖光，比别处亮些，显出朱壁上敷彩的图画，迷迷蒙蒙的云气，影影绰绰的人形，好似永宁寺中曾见的佛画。白日里鲜明的颜色，此刻都沉入了不可知的、广大的黑暗之中。

他拾级而上，小心揭躡，欲穿门前行，空蒙之中，却被什么透明的东西挡住了去路。来不及细想，根根冰凉细长的物事，像是长蛇一般，已经抚过他的面颊和身体，让他大惊之下，一跃而起。就在那须臾间，他突然又明白了，一切，不过是一幅水晶门帘，白银锻就的丝线，串起千百颗晶莹剔透的串珠，兜转了他的身体，就在他腾挪闪动的当儿，微微的星光里，水晶帘便如瀑布一般泻下。

不知从何处，曼妙而幽暗的歌声悄然而起。歌声动人依旧，却不再情意绵绵，多了一种不可名状的怨谩。

为欢憔悴尽，那得好颜容！

他为这歌声所吸引，情不自禁地偏离了原来的方向。庭院的草地上，远远地，他看得见一顶青帷，是那种胡人在野外宴饮时往往设置的活动房屋，一点闪烁跳动的烛火透过帷帐，是这广大的黑暗里唯一的光亮。他绕着这光亮，缓缓走近，却看不清这帷帐里的动静，依稀只见夜烛下供着清水的木案，案上仅有一只女子鬓发上常插的花钿。他踏着渐行渐冷的露水，徐徐离去，却遥遥地感到草地上像是有人走动，那歌声便由这人的行动，忽远忽近，缥缈欲失。

他好奇地止步，向那歌声的源头寻去，待到得了跟前，歌者却已经回换了方向，如是反复……不知这么走了多少个往还，他终于又转到帷帐的前方，看那飘摇的小小烛火，突然在跳动里一下笼络住远方的歌声，他就在这一瞥之间，看见王妃微笑的颜面，宛如电光石火，转瞬即逝。

他嘴唇翕张，他终于找到了她……他想是要对她说些什么，却又什么都说不出来。

因为烛火熄灭了，那顶青帷中已经空无一人。

他遽然警悟，自己竟已经身在太极宫中……来不及恐慌阑入宫掖的罪名，他已经悟到了什么更紧要的关节。他想着也许还有谁，他不曾了解也不曾谋面的那另外一个人，或许是被幽縶，或许不得已如此。

她曾经在这荒垌般的死寂里，徘徊禁闼，一心愁悴，思茫茫，身忽忽。

万佛洞中那个温言浅笑的“王妃”，竟然已“迁神”了……这点着烛火的青帷，分明是在为她招魂啊。

那么，现境里的“她”又是谁？清河王可曾知道这一切？又是谁向她下的杀手？

七

到了隆冬一日的黄昏，天空阴沉欲雪，洛阳的大街上行人寥落，但永宁寺塔里面，却是上下烛照通明，并不觉冷。五百名为塑成金身而忙碌的工匠，蚂蚁一般，在塔心高达十丈的鹰架上往还爬动，昼夜不懈。最后一道工序——在泥像上涂金——的进度已经过半，摇曳的光亮投射在金色的塑像表面，把塔的整个内壁照耀得宛如极乐世界，无比明亮。而从塔的外表则什么也看不见，工匠们全都登临举高，为了防止他们偷窥宫禁，从这项工程开始的那一天，塔的四面门牖就已用木条钉死。

类属清河王府选送的匠人，他也跻身在这批工匠之中。现在，不分工种，不问出身，所有人只怀着同一个心愿，就是在这一月之内，收拾起最后的细节，消弭哪怕一丁点俗世的气息，让塔里非凡的光辉腾达，高照在洛阳的人海之上。

这尊十丈高的大佛，比过了万佛洞里一切他曾经雕凿过，或是看见过的足尺圣像，因为大佛是如此巨大，以至于从塔内的任一个角度，都看不见佛像的全貌，进塔礼拜的人须得绕塔一周，才能将这塔的结构窥得个大略，佛像本身之高，占去了佛塔高度的四分之一。在入塔观像人环行的两壁上，原有着数不清的其他塑像，好教塔内变成神鬼交际的梵天世界，既有佛菩萨，也有梵天帝释、金刚和其他护法神，甚至还有外道人物，岳渎神仙……以及被他们踏在脚下，打落黄尘的邪魔恶鬼……他不敢相信，这些，都是在上次他到塔内不到两年的时间，在塔内完成，或是从别处做好后移至塔内的。

塔已经消失了，随着塔内摇曳的光明，纷繁无数的祂们，从半空里跃跃欲出，像是悬浮在大佛的左近。

却有一个念头，教他不能真正沉浸在这让人惊骇的造境中。他的耳中，好似总有一种嘈杂的声音，在工匠们枯燥的叮当敲凿里浮泛着，与眼前的安详有令人错乱的和鸣，一片光明的质地后面，总是埋伏着更长的暗影。蓄势待发的众神魔，像是已等待了一千年，随时会发一声喊，从闹嚣沸火的空中直落，跌得粉碎。

这眼花缭乱的一切后面，真的藏有如后花园那两人所说的兵仗吗？将来那些贵人们入塔礼拜的那一日，此处又会有什么样让人惊悚的事变？

未来入塔礼佛的人们，恐无暇细细浏览塔内的铺装。他们或喃喃诵经，或五体投地，奔走终日，直到身心俱失……在这一瞬间无论发生什么，也太过难提防了。永宁寺塔称得上是北魏的国寺，方有举世难匹的规模，它所选用的名贵材料，如黄金、玳瑁、碧玉、水晶、琉璃等，不一而足，但每一珍稀物料放在塔中，便再也算不得什么。他能想象出，绕塔心大佛移动的巨大人流，就如无比繁复而琐碎的建筑细部一样，每个人只需看他周遭一眼，便如一滴水珠，立时淹没在无边无际的汪洋大海之中。已经遍布在塔内各处铺装上的万千金箔贴面，使得四壁上的任一个角落，都放射着熠熠光辉，都折射着一个低头折腰的生灵。

这空间宛如一片细小涟漪组成的巨大水面，但轻移脚步，每个角落里都似有无数金色的波澜泛起。

只是波澜之中，还会涌来更大的浪涛，他想象不出那会是什么，但是他能感觉得到，现在这海潮正在无声地涌动，正在等待着，等待着惊人的一瞬间，把他们所有人都吞没。

他还记着，那是从后园回来不久的一晚，王妃突然回到了府中……

神情匆迫。在最大的佛堂里，中宁处，她突然传唤他来到近前，面前散放着要修缀的木石大像，正中就是他补磨完好的那一躯。虽然隔得很远，与平素一样看不端详她的表情，她的声音虽小，却字字清晰入耳，惊心动魄。她指着外面戟架上的兵仗，问他如何能在圣像中埋伏下致命的机关……

八

浮图即是法身，永宁寺塔，也就是洛阳城中最大的一躯圣像。当今圣人入塔礼拜的行止，甚至登临梯级的法度，成了这段时间城中持久的话题。距离朔月朝仪的日子已不足一月，人们纷纷商量着塔中的布置，连同近来不寻常事变的传言，在洛阳城中不胫而走。

因为他曾经参与万佛洞的工事，又是将作监特从代北选调来的名匠人，主持永宁寺佛像工作的监工对他分外客气，上上下下甚是恭谨。只是那一个惊天的秘密，塔内却好似无人知晓，他也不敢向任何人提起。

纵然他从前从不曾习过金银细作，自有经验丰富的匠师教他敲打金箔之术，他也全心全意地研习技艺。几天下来，他眼见切成小块的黄金，何能在小锤击打下，渐渐成为薄如蝉翼般的金箔，再用一个铸有图案的黄铜模子，轻轻敲打，使它凸现出花纹，然后涂上取自牛骨的粘胶，固定在佛身的表面。就在塔内最底层，沿四壁周匝摆开的木案旁，佝偻着腰的工匠们的无数双手上下起落，小锤与金片撞击的声音此起彼伏，宛如万千喃喃的佛唱。

每走过一人，他都感到身后那人似是朝他窥望。他恐慌，害怕那人就此向他说起什么惊人的秘密，他的手不禁微微颤抖，心怦怦乱跳，纵然简单的活计，也突然变得艰难了。那人走过，并无一语，他的心绪才重又平和起来，没过多久，脚步声重在身后响起，一切周而复始。

一天一天过去，满桌台的金箔都已告罄，也没有任何事情发生。他的心情彻底平和了，心手又渐渐相应。圣像素地上最后一寸没有光明覆盖的地方，也已经在他身后慢慢消失。

不知为何，这一天，眼见大功即将告成，他却感到心意烦乱，几乎不能自已，敲打金箔时的双手也没了从前的节奏。自从明白他所牵挂的“那个”王妃已经死去后，他心下突然失去了所有依托，既不欲就此遽然离去，在这世界上也再没任何事情使他眷念——就算注延寿命，却也枉然无益。平日他情志索索，只有敲打金箔时，心无旁系，只是痴痴注视着那散落满案的五色毫光，算是有个想念，简单欢喜。而眼看着工事即将完成，这烦恼之念不由得又油然而起。

周匝，工匠们大多结束了手中的活计，或是不急着把最后一点点做完。在这原本庄穆之地，渐渐有了窃窃私语，谐语，调笑。塔外，铜驼街上，天色已晚，朔风摇扬。

忽然间，就在一片沸火之中，有一个陌生人从鹰架后转出，从他眼前静悄悄地走过。这人一身黑衣，衣褶上隐隐有黑丝线掐出的茱萸、葡萄诸种纹绣，在黑地上却不是特别突显；北魏人多不着帽，这人却戴着一顶皂色便帽，连腰间的髹漆革带也黑黢黢，通体上下宛如一色，看来好似一个不可见的幽灵。按说，这人身形高大，衣着又是如此怪异，他身边那些工匠们，或坐或立，怎会毫无知觉？不知怎的，那些埋头干活，彼此谐笑的人却偏偏熟视无睹，只有他一人本能地抬起头来，和那黑衣人眼神交接。

这人面容清癯，脸色白皙，竟又是似曾相识。

清河王？王妃？兰芝？

都有点像。可又都不是。刹那间，他的脑子里转过了千万主意，可又偏偏一点主意都没有。他怯生生的，望着来人，如同六七岁的孩童向大人乞讨零花，那人恍若是有所嘉许，又像是另有深长意味，向他投来遥遥的微笑。

那可不是佛的笑容？

难道，又是妄念浮生的幻见？他站起身来，似乎是想追随这神秘黑衣人的脚步，却只及迈出一步，便动弹不得。那人眼见着已出塔门去，他想发声挽留，却面红耳赤，口干舌燥。金碧辉煌的塔内，突然一下变得梦境般的模糊，仿佛在他眼前，正有万千琉璃宝器，同时迸出针尖般的光毫。他心生莫名的欢喜，想说几句感念的话，却哑了似的，不能呼喊出声。

他一下晕倒在鹰架旁。

不知过了多久，他醒了，他醒了是因为忽然觉得异乎寻常地热将起来，不知从何处升腾起的气流，正托着地上散落的金箔在塔内飞动，搅动一室，且头顶上有批批婆婆的响动，透过层层椽枋梁柱。一开始，塔内的劳作者还不以为意，直到后来，所有人都听见了，感到了，有人开始停下手中的活计，不知所措地待在那里，并循着声响的来处向上抬头张望。视线所及并无异样，这响动却越来越大，如同破帛裂竹一般，渐渐有如雷鸣。与此同时，所有人都看见天棚上出现了一处小小的裂缝，起初是一线细小的光亮，随即变成火红的一团，须臾间越来越大。

这一刻，所有的工匠都看见了，他们停下了手中的活计，犹疑而惊惧地等待着什么的发生。终于，第一根燃烧得通明的木梁，挟着难以忽略的炽热和焦灼，忽地从天坠落，将一具堆满了料器的木案砸得粉碎。接下来，又是第二根，第三根……如同暴雨般地直泄下来。一时间，大家都意识到发生了什么，惊恐万状之下，纷纷四散奔逃，回头望那守扈的军士，早已逃得不知去向，塔身四面的十六扇大门都已洞开。

人流……不意中已如决堤的潮水，越过门禁，逾越墙垣，还有人打破遮蔽的木板，从二层、三层……的牖户中飞身跃下。就在这汹涌逃命的人流中，惊惧的他频频回头观望，只见门扇洞开之处，热风奔流而过，那从天而降的火球借着风势，须臾降到一层，燔烧了只有片刻，就已把整座主尊大佛吞噬在红热的光海中，更兼噗的一声，另一火球从一层平地拔起，冲天而去。这时，火势已不限于塔内一层，整个塔身都燃起了熊熊烈焰，火烟勃勃，吹落的火焰燎着了四邻的僧房，整个洛阳城中都可看见永宁寺的火光。

取水！取水！

宵禁后本已销声匿迹的满城人民，此刻都像是从迷宫中一跃而出，挤满了洛阳的街衢，先前还是一片死一般静寂的城市，此刻挤满了胼手胝足的人群。汗水与泪水交织在他们的面孔上，千百种纷繁劳结的表情；如果有一双眼睛在此刻望到了，这千万人的表情所凝聚成的整幅画面，也不知是悲痛还是紧张，还是某种不知所措的惊惶？

不到一会儿，便聚集了数百人的救火队，分别从四条穿越洛阳城的河流中运水救火，这其中还有快马从洛水之滨驰来的皇家卫队，据说，就连皇帝本人，都已经惊起，在阊阖门楼上望火了。可是，没有人能够靠近烈火熊熊的塔身，救火的人汲来的水尚没有泼到火焰之上，就在仓皇奔波的路途上倾洒了。感受到火焰温度的救火队员，造次丧失了斗志，疯也似的从火墙的另一侧狂奔回来，被火焰燎着了头发胡须，或是衣带袍袖。这些人只顾得上大声呼号，满地乱滚。

此时出现了使人惊异的另外一幕。逆着救火队员逃窜的方向，也有僧人从容赴死投火自尽了！他们迎着大火走去，像是没有知觉一般，虽然只是几个小小的身影，他们被火帘吞噬的一刹那，火海中却发出赫熞的光耀，比比丘身体的实际尺寸大得多，有如真实可见的神迹。

退后百步，在垣墙外的远处，被青槐和明河所划割的大道上，甚至仁德坊的坊墙墙头上，是海一样的旁观者。他们从四面八方涌来，冲破了夜禁的拘束。其间，虽然不乏幸灾乐祸极了的看客，被刺激得血液将将沸腾，大部分人，还是被这突如其来的大难吓呆了，他们唯有跺足捶胸，太息不已。整个永宁寺塔，此刻烧得就像一座通明的炬火，它散发出的灼人的热度，在一里之外就已能察觉了，虽然是冬下腊月，亦令人大汗淋漓。

伴着震天动地的悲泣，永宁寺塔就这样烧了半个时辰，第八层中，突地窜出一枚巨大的火球。听得轰然一声巨响，泥屑，碎石，木片，瓦砾如雨点一般从半空中射出，随即，是白色的烟尘弥漫四际。在惊天动地的一声里，大家都惊惧地转身狂奔，只见那塔身轰然倒将下来，将数百间还没有烧完的僧房砸得宛如齑粉。

夜幕终于完完全全地降临了。

就在一片黑暗之中，亿万带着火星的余烬徐徐散向天空，流金花雨，宛如一个巨大无比的烟火，足有半个时辰才将散尽，而空气中的火气烟味，则久久挥之不去。

第三日，降下大雪，废墟渐渐趋于死寂。向夜时分，忽然涌进了数以千计的百姓，争先恐后地到寺中劫掠，即便看守的兵士数次出动驱赶，也无济于事。他走到的地方离那废墟尚远，但也捡到一片水晶，拭去泥垢之后，居然有鸡子大小，想来，必是从佛像的发饰上脱落的。

九

塔顶的一线灯火，是如何燃成了毁灭这巨构的熊熊烈焰？他不及细想，也没有头绪。永宁寺塔火焚倾坍后的第十日，像是平地里刮起一阵罡风，不约而同，里巷之间的洛阳小儿都唱起了一首童谣：

东海日，浮图出！
永宁归，洛阳悲！

浮图是否又复现于东海之上，并没人亲眼看见，沿着往青、汴的官道飞来的这些消息，大伙儿不过是口口相传罢了。一生也未必离开这城市半步的人，对于他们来说，东海究竟是个什么样子，知道的也是百难有一吧。但是，如同一支炬火一般，永宁寺熊熊燃烧的情景依然深深铭刻在洛阳人民的记忆中，废墟完全倒塌了之后仍有数人之高，寺塔“临终”前所点亮的一切，似乎并未烧尽，相反，黑焦的灰堆里还潜埋着将要复燃的火种，它在城市的幽晦处持续地明灭……

入夜时，洛阳里坊的巷曲中便不复宁静。坊墙外的土路上，难以安眠的人们常可以听到銮铃大作，马声嘶沸；时时，还有炬火的辉光滑过天幕，夹杂着皮肉烧焦的恶臭，和血肉迎风腐烂的腥味。最神奇的是，站在坊内的土岗上，翘首向永宁寺的方向望去，人们故自看见星星点点的闪亮，每晚每夜，仿佛，没有烧尽的木材的余烬，还在一点点地散向高空——雪不是下过了吗？雪落在曾有余温的废墟上，前日大火的最后一点温度，早该消散了？那夜空里的光亮，不由得让人又浮想联翩：这是不是永宁寺塔下的亡魂在显耀？这么迫不及待就出发了，他们，这是去追赶那业已飞腾在东海之上的道身？

这塔倒下以后，洛阳分明气数已尽，而太平年月的毁弃，乃至于洛城人过活了数十年的辉煌城市的毁弃，怕也就在覆手之中。此刻，对那即将到来的灭顶之灾，所有人竟是既恐惧，又兴奋，他们并不切齿痛恨，却充满了一种诡异的期待——瞧他们那期待的模样，就好似这祸乱竟和他们全无干系？

没人确切地知道到底发生了什么。

借着永宁寺塔的焚毁，是郭欢，逼迫着皇帝把都城迁离洛阳，他的意图却已昭然若揭。如今，象征着清河王势力的浮图轰然倒下，清河王也已大权旁落，甚至没人知道他现下在哪，他暂时“失踪”了——郭欢一人把持了朝政和京师的事务，他的军队接管了洛阳的防务，关闭了都下所有的市场、娼寮和寺庙。不但宵禁比由来延长了一个时辰，就连白日中里坊的出入也受了限制，只有那些役户，入城为权势人物运送食物日用的，暂可通行无阻，其他闲杂人等一律被挡在坊墙的里面，只能从被召去役作的邻居那里打探外面的消息。时日一长，城中传出了断粮的谣言。

为守兵铁桶般围定，目下无主的仁德坊沉寂了月余，诸门闭阖，戒除钟鼓。就在这数月之中，有司陆续征发了府中的生口，也不知是奉了谁的敕令，但见凄惶出门，却不见片甲归来。一日，最可怕的事情终于发生了。

十

将作监急急宣召十数名工匠入府服役，而将面见他们的，竟是郭欢本人!

“我明明记得你!”

大寒之中，夜色漆黑如墨，万籁无声。

在匍匐在地的十数人中，黑甲将军独走向了他。他体如筛糠，他知道，一而再，再而三地碰上这凶神，这一回中，定是凶多吉少了。他所在的工场，更像棘围之中的一所监狱，圜墙内的狱城扔满铁链，好像还留着刑鞫的痕迹，荆棘丛中，工匠们都睡在半露天的一所地牢中，蓬头垢面，衣不蔽体。唯可欣慰的，纵然朔寒逼人，院子里却不冷，洪炉闪闪，似乎是在铸造什么，星爆烟飞，寂寞的金釭火光摇曳。

“而且我也不畏你！”

畏我？他简直不能相信自己的耳朵。这话竟然是说给他听的吗？难道凶神眼中，也有令他惊怖的物事吗？

这一切来得太突兀，他还想不通这其中的关节。举目望去，在漆黑沉郁的庭院中，别无他人，未具甲仗，毕竟不是一座刑场的模样，心里稍微宽慰了许多。众人却不看他，纷纷仰头举目，空无纤云，他能认出不少星星，却说不出天象的所以然。看久之后，群星一般的明暗不定，有些一直沉寂，偶然发亮，有些光明熠熠，烁烁动摇。

一众俱寂，只有似乎不畏严寒的赤奴，光着上身，手持烫热的铜铗和炭铲，在庭除上下来回走动。他们的身后，一具竖炉正在熊熊燃烧，奴子推拉韦囊，伸缩皮橐，维系着炉膛中的火势不减——竟然是把金铜作坊，搬到了将作监府内。操持着锤铗的匠师，顾不上听他二人的对话，正在将融化的铜水注入坩埚中，远远望去，他看不清那铸范的形式。匠师们片刻不停，手脚却是迤迤然不那么捷疾的，只是在郭欢背朝着他们的瞬间，一二人才敢偷眼抬头，向这边仰望。

他惊恐地注视着眼前的一切，脑海中回转过千万可怕的画面，这是要对他施什么古怪的刑罚？《地狱轮回图》中那诸种血淋淋的场面，先是残裂肢体，又在火阑炙地上拖曳着受苦人行过，仿佛就是迫在眼前的危险了。但是，他又看清郭欢的面上，并不带什么格外严厉的表情，在有力人阴鸷的眼神里，他甚至读到了一丝平素少见的困惑。

黑甲将军紧紧盯着他——脸上，想必还有那次事变留下的隐隐苔痕——他却不明白，面前这心如铁石的大酋，何以会显出犹疑不决的样子，口中喃喃自语？

“一切居然应在你身上？难道竟有如此巧合？”

应验？巧合？他这才感觉到，对方竟像自己恐惧他一样，畏惧着自己，在他恐惧而无人色的瞳仁里，映出了郭欢同样困惑忙慌的表情。这一切，真当是全然巧合吗？

郭欢示意着身后的工匠，将红热的铸范抬到他的面前，打开一半，让他查看。身旁策士观察着两人的表情，小心翼翼地递上话说：

“荧惑守心，寻常以为大凶，‘大人易政，主去其宫’，但是那说的是旧主，今日浮图现于东海，这象应的是大人您，是大吉啊！”

郭欢并不回应左右，只是仔细地注视着面前的他的表情。他不敢与这煞神目光直视，只把头低下，去看铸范里渐渐冷却的金像，方才渐渐明白，这慢慢成形的人像并不是铸来礼拜的，而是用于卜筮——策士所说的，他不大懂，但他感到了周遭的妖异，腾腾杀气从昏暗里来。兴许，郭欢所忌惮的，与策士口中的，炉膛里红热的金像，与头顶夜幕里罕见的天象，彼此还有什么难以言喻的关联？

郭欢紧盯着他的表情，若有所思地问道：

“幽显报应，有若影响……这莫不是你的主子爱说的？”

像形粗犷，足有尺半，一望便知不是汉地的手工。他忽然想起，草原上的人胸前，常带着类似的小像，只是尺寸小得多，想必是类似的用途？只是，他现在才明白它通体花纹的来历，就好像斑斑铜锈，从塑像的身体里漫涌出来，教这本来冷冰冰的物事霎时间有了生命。原来金像尚未铸成时，这些诡异的花纹看得更加端详——像本身，是浑圆朴拙，未事雕凿的，可是铜水之内，不知掺杂什么，以至于金像稍一冷却，就分别了图地花色，有纹路的地方，显然要比周匝冷却得满些，炙热的碎粒和丝缕，好似人的筋脉一样，编织在本来有些蠢笨的形体之中，仿佛活转了一样。

他凑近看去，铜胎又是一个包罗万象的所在，如同蝉衣蚕茧般透明，文理中又藏着山河大地，分外丰饶有趣——只是，在凛冽的风中，铜水的热炽去势太急，他还来不及多看，转瞬之间，通明火红的琉璃世界，已经如永宁寺塔的废墟一般，只有星星点点的光亮了。

“你是熟练匠人，且说说，像上何故有如此的裂纹？”

“我，我说不清楚……”他知道，他该说些“妙兴西北方主”般讨好的话。可他不知从何说起，就在他瞠目结舌之间，众人分明看见，金像上出现了一条细小的裂纹，而且遽猝间就通贯全体。

“石窟你做得。金像你怎做不得？”

“大人，实在是两种不同手艺。我此前不曾学来！”

就在这时，随着随扈们的一声惊呼，金像上最后的一点红热，就像死人嘴里最后一口气息，熄灭了，随之轻轻地，但是很清晰的一声，金像裂成了两半。他这才看见，场院中的小半地面，都扔满了破碎的铸块，想来，是用于之前的筮决。在铸块的旁边，散乱的矿渣以及打坏的熔范丢得到处都是。

“我真的不曾——”

听得耳边大喝一声，有人从后面猛击他的脖颈，将他按倒在散落地面的铜渣上。纵然金像大半冷却，表面已经看不见红热，因为离得太近，灼热的余息还是扑上他的脸颊，令得皮肉阵阵刺痛。他万念俱废，心中暗暗叫苦。

就在这时，郭欢的声音再度响起来，回复了冷冰冰的腔调。

“不须使他为难！他做不得，也须放免他。”

攫拿他的人松开了手。不知过了多久，周围的闲人都已离去，赤奴们燃起的熊熊烈火也尽熄灭，庭院里又归于死一般的静寂。寒夜无尽，冷汗流漓，他不禁瑟瑟发抖起来，仰头看去，北星当高天。

在拱、极之间，独有一个光点，微微快闪着，比别处都要醒目。纵使他不谙天象，也能觉到这一刻的不同寻常了。前后呼应，有流火般三道，掩过了太白的明亮，光焰烛地，沉闷的声音过后，大流星陨落如长虹。

十一

新的当国者同时应付着内患和外敌，继续在城中大肆搜刮。据说，向夜出行的那大批的马队和牛车，都是郭欢派出的行刑队伍，马队负责处决，牛车运送死者的尸丧。或者，在军酋们看来，洛阳若少一半人，无人生产的这半年，太仓中的余粮便可以勉强支持余日。

郭欢这出身西胡的冷血者，在不动声色地诛害了一百余皇族和他们的党羽之后，开始成群地索取他们的家眷仆竖，调遣他们无主的青壮部曲。于是各城坊中不再冷寂了，大路巷曲，都挤满了爷娘妻子，捶地哭天，眼睁睁地看着他们的亲人被征入前敌的队伍。这些缺少训练的素人并未发到武器，西胡的军队，加上六镇值守在洛都的城人，只是把万千役夫用大车遣送到了城北的邙山上，夜以继日地力作。人们逐渐明白，他们要在数月之内，修筑和加固一道新的外郭墙，好借助天然的壁垒，顺着山势，抗击迫在眉睫的入侵者。

洛城人并不知道，也不在意，谁才真正是他们不期而至的敌人。他们道听途说来的消息，是郭欢的嗜血，激怒了朝野那些幸存的势力，他们要和这新晋的僭越者一决雄雌。就在数旬之内，各地前来勤王的部队已各自出发，前锋指向黄河北岸，一场恶战在所难免。

在河阴一带，郭欢备战的兵士和苦力们连夜修筑鹿角城寨，与此同时，都下的大街上却空空荡荡，因为人手匮乏，行刑队连刚刚诛害的尸丧都未及全部掩埋，整个洛阳满溢了死亡的气息。

就在这个为恐惧所笼罩的冬下，天气祁寒，河水冰结，暴风呼号。人们生生挨了好些艰难的时日，他们绝粮少穿，心惊胆战，每夜观望五星、七政间细微的变幻，看着漫天的星辰，斗柄东指……转眼间，已是冬去春来，两军相持却不交战，三两月的光景，一年一度的佛诞即将来临。往年的这个时候，必然是诸多寺庙最繁忙的几天，洛阳城里盛大的节日，市声沸火的长斋仪，也是洛城人借以消遣和交易的几天，而今年，却没有哪个还会期待，洛阳能有往年一样的庆典，人们暗自求守的，只能是在即将到来的浩劫中保全性命。

——但突然，就在佛诞前不足一月的样子，传来一个意外的消息，河阳的勤王大军在一夜之间撤退了！

“两军交战，天命大归，群迷改属！”没人顾得上这话的真假，也没人知道这其中有过什么样的交易，不管怎样郭欢是大喜过望，他终于又可以腾出手来，大胆在洛阳城里经营了。原先用来监工的军尉指挥，像是收到了什么十万火急的差遣，不及整促行装，甚至还没来得及和苦力们打声招呼，就匆匆地先行返回了都城。

上边传来的话说，洛阳所有的城禁全都撤除，民众自由行动一旬。就这样，呼啦一下，衣衫褴褛，食不果腹的数万人，就好像决堤的潮水一般，倒灌回了邙山防线下的洛阳。

一夜之间，仿佛是所有的秩序都已被这潮水冲垮。洛阳的工地，就连剩下少数还在运作的皇家工程也都荒置了，工匠们涌出工场，冲上了黄尘漫漫的洛阳大道，城市里再无人扫洒街巷。

永宁寺浮图崩坏三个月后，终于，皇帝陛下第一次现身了——自然，是在郭欢的胁迫之下，是在永宁寺丘墟的阴影中。依例，佛诞前的一天，是大家一年一度在太极宫前城楼上举办大朝会，列次依序赏赐军民的时候，今年却和往年不同，没有一般锦缎金帛赐给。就连典礼本身也变得蹇促、仓皇，说得好听，是为了存恤民力。可是，除了不能免脱的某些俗套，等候宿命差遣的洛阳小吏们，只是隔着远远的人群，听到了一件真正有意义的事情。执掌京畿事务的河南尹，代皇帝发布了一个最不寻常的消息：清河王舍宅为寺，佛诞节的三夜，官民人等可以自由出入。

此情此景下，大权旁落，清河王连自己妻子的性命也未能保全，为何，他竟在此时匆匆地“舍宅为寺”？

现在，就是痴儿心里也烛火般洞明了：总说什么前身承有诸罪，赖题此寺，故获申济……那，不过是有僭越野心的郭欢，想着法子羞辱清河王的一种方式罢了。都下权贵们以往或也有出家为僧，舍宅为寺的时候，但是何曾有开放门禁这一说？通常情形下，“舍宅”的权贵全家依然在寺内起居，“御敕”的皇家寺庙故自警卫森严，单门与著姓之间，维系着不可见的沟壑。这一回，实际是清河王等贬为庶民，私宅抄没为了公产。他的府邸占地一坊，门向街开，其中所设的佛堂浮图，规模仅次于永宁寺，二三十里外就可望见，平素平民不得其门而入。可这尊卑之防早已在变乱中渐渐替懈，浮华世家，终于袒露在了众人的面前。

借着街谈巷议，郭欢大肆渲染皇帝和清河王妃的闱中秘事。那不可言喻的禁中的乌云，终于飘到了里巷的空中，汉儿笃信的教化人伦，现在应在胡儿的家事里，一切都是招天谴厌天欲的祸患了，说什么“人之云亡，邦国殄瘁”。

本已羸弱的皇族，这一下可是威信全失，陷于穷蹙之中了，他们的子女亲属常受到当街羞辱，原本门禁森严之处也不时被乱民骚扰。一切本都借着兴教的名义，郭欢却借着“题寺”的机会，驱逐了大量的僧人，侵吞了僧院的寺产。非凡的道业，多年的戒行，都一时崩坏在尘土黄涂中了。

对人心浮动的洛阳城民来说，清河王舍宅为寺的消息恰逢其时。这消息传来，给劫后的洛阳又注入一线生机，这难得的狂欢又添上浓重的一笔。

但是，它也将是鲜卑之血的最后一滴。

郭欢将要废弃洛阳、另立邺城为都了！这讯息，就像一个破空的惊雷，就算只是遥远的地平线上隐隐炸响，在焦灼的人心里，它还是引起了前所未有的震动。

消息传开后，城内大、小市的米精薪炭一时亏空，有地方投奔的富商大户，都已携带金银细软出城，他们的役户也早都随同前往；那些个没钱又懒得出力的浮浪人们，但凡腿长的，便到邻近州县冒充沙门，乞讨“就食”。私度的僧人之多，令得游食人口已经超出了人们的想象，偏爱私畜不净之物的各镇军主，于是只要看到粗豪的外乡人，不管是否有祗支、僧衣，只要骨节粗大，带有兵仗，都搜罗殆尽，就便杀之。

轰的一下，走了这么多人，洛阳俨然成了半座空城。

剩下的人都蠢蠢欲动了……由来寂静的大街上，此刻突然多了成群的游民，填塞着原本单调的街衢。没有人说得清楚，他们到底是庶族的败类，是奸伪亡人，还是失却了羁縻的部曲和边镇城人。但是大家知道，原本，这群人就不算是真正的土人，和本地士族也从未同心一气。眼前忽然有了放纵的机会，于是，他们呼喝着，嬉笑着，就像节日巡街一般，从洛阳人的眼前一批批地过去。假冒僧人，一遍遍宣唱妙法，《破魔露布》《平魔赦》《慰劳文》《伐魔诏》，宏阔盛大之言，劝诱的皆是愚俗之人。

此前，虽然偷盗时有发生，但拜西凉胡兵的强力钳制，铁桶一般的城池中还算秩序井然。但是，这数月中发生了如此之多的不寻常事情：宫变，大火，战事……让所有人的心中都难免惶惶悬侧，这不安的气息散布在街头坊间，就像一捆干柴扔在疾风之中，终于让几个火星，弄出了无人可逆料的野火。没多久，更多的“异象”的传说，在洛阳城中不胫而走：水井边，大道旁，到处都传说着某坊某家有灵异显现，或佛头见血，或是谁家的新生儿长出了第三条腿……种种怪事不一而足。最可怕的还在眼前，那三五成群游荡在街头的浮浪客，最是无事可做，也没有人来管教约束。就在青天大道之上，或是醉酒耍泼，骚扰滋事，或是横挑良善，调戏妇女。

众人皆言，有一妖幻的沙门，正沿街宣唱：杀一人的是一住菩萨，杀十人的是十住菩萨。原来杀害也是乐业，新佛正除旧魔中。

洛下一时风尘四起，乱了法度。

而郭欢手下那些虎狼般的巡查军士，三三两两，依然遍布在洛阳的九衢，原本严急无情的他们，面对这一幕如今竟都置若罔闻。

十二

佛诞这一晚，宵禁的钟声并未像往常那般早早鸣响。寻常人该寻一张床铺的时刻，他还在大街上茫无目的地游荡。他从将作监的牢狱中逃出，城中秩序大乱，一时却也回不得清河王府中去——这时候，府中人等，连同他们守护的赀财，都已是在另一座巨大的牢狱之中了。

黄昏来临了，一切都染着一层金黄，死样的灿烂……整一日，洛阳竟天的黄风，红尘飞扬，雨土如雾，大街上嬉闹的行人零星几个，仿佛不以为意。此时，风势转小，街土也沉静下来，街上游行的人流不见更多，也不见更少。

随着人流，他行至铜驼街的一处街口，忽然，好些人在前方停顿下来，他们眼前是一所仅供奉献，不能容身的小庙；庙门里，半人高的小龛供奉一尊金色的交脚弥勒，门前立着香案和祭桌。这一刻，此地早不见了僧主，上面原本供奉的果品菜蔬，却不翼而飞，只余几个空盏，孤零零地搁在石几上。

再行得几步，昏冥的暮色里，闪现了几个少年，容服粗垢，神情低陋，他们或坐或立，在卑俗的调笑中打发着无聊时光。庙垣后，一个满嘴油腻的无赖倚墙而立，脚下还丢着果核酥皮，显然，他和那小庙里失踪的供品大有干系。这无赖身形胖大，两只眼睛贼溜溜地扫视着大街，像是鼬鼠寻觅着自己的猎物。他和无赖的眼光交接处，忽然觉得什么似曾相识，而且这记忆并不恍惚，而是呼之欲出——他蓦然记起，这人，不就是当初纠缠过天竺幻师的那个无知屠户吗？他想到这里，想到了那串串珠，心头不禁一怔。就在此时，朱屠户仿佛也认出了他，两人互相注视一会儿，渐渐，屠户的目光没那么友善了，吓得他慌忙掉转头去，装作不曾看见。

环顾四周，触目所及，却都是些同样的目光，若非凶恶猥亵，便是呆滞无神。

夜幕降临了，一时俱寂。终于，遥遥的钟声响了，像是响应某种被延宕了的期待，不是呼唤人心的收束，却把它的裂口重重地扯开。原本空空如也的铜驼街上，突然魔术般出现了二十四张朱红色的大鼓。

咚咚大作的鼓声里，人的心也跳得怦怦作响。一时间，不知在哪里涌现的人群，一转瞬就挤满了大街，就连身边的小庙也无立足之地。到处，都是提着灯笼、手秉炬火的游人，仿佛为夜行有备而来。

众多口唤之中，他只听了一个大概。大多数人，目的地只有一个——前方不远之处，正是清河王宅。远处的人群传话过来，就在街鼓敲响的那会儿，佛诞的游行队伍已自从太极宫出发，当宫中来使将佛像金身送达清河王府，就要打开宅邸的大门，由众人彻夜游乐，宫使往往升楼散物以赉百姓，人马腾践，多有毁伤——这，就是群情沸腾的缘由。纵然，洛阳群小见多了佛寺之盛，下人们，却是没有资格参与如此顶级的法事的，往日诸王率众行道训授的时候，每每，他们私邸之中的戒典，都成了外人觊觎的盛大节日。

钟鼓暂歇了，换了汹涌嘈杂的人声，又夹着点点闪动的炬火，在近日门庭冷落的仁德坊前，突然人满为患，须臾间，整个街区都已不能通行。

慢慢地，这人流汇成了一片人海……人海中，他未展辨识人们的模样，也没办法估量人群的数目，纵然是在洛阳，大多数人，也从未在同一处见过如此多的人，为了潜藏的祸心，带着故作良善的虔容，拥挤在马上就要崩塌的禁域前。这悚悚不安的人海，使他暗暗心惊……波涛愈发汹涌，水流愈发湍急，虽不是惊涛骇浪，却裹挟着一阵又一阵的暗流，暗流所到之处，立即便塞满了所有的缝隙和沟壑。

就这样不知过了多久，人群中忽地鼓舞，就像是海水中泛起的一阵波澜。由远及近，海潮拍岸之处，人们蜂拥前去，清河王宅大门洞开，出来的却是一名白发苍苍的老宦官。他有气无力地念道：

> 清河上违圣意，下扰民心，僭乱朝纲，有悖人伦……未能恪尽职守，以报国家……皇子以下，违反宪则，皆得纠察，不付名至，否臧何验？此而不纲，将隳朝令。今特以见事免清河等所居官，付法科处，宜明首从，节级其罪……
>
> 清河舍宅为寺，今年佛诞，即于寺庆祝。佛诞三夜，官民听任出入……

未等老宦官读毕，听到末尾“听任出入”四字，群小便一声欢呼，急急一拥而上，老宦官遽见此情，也顾不得礼节周全，转身仓皇退入了庭院，人们转而压迮着守卫大门的健儿。这群兵士，顾不上呵斥群众，不得不手牵手排成两队，将后背紧贴在两扇大门上，末尾的那两人无可凭借，唯恐挤垮了身后的门扇，只得死死抓住门上镏金铺首的铜钉，双足紧抵脚下门限的限石，健儿的兜鍪都挤得歪在一边。

来了！

有人一声高喊，只见远远的拐过街角，从太极宫出发的送佛队伍已经在望中。大家都想看得真切，一时间，鼓舞祈祠的人群纷纷向背后涌动，令得王宅门前的压迮稍解，后卫的兵士终于松了口气。

梵音骤起，笙筹缭绕，只是满路沸火之中，每一片声音再也难听真切。只见街外明亮赫燿，游行的彩车行列由牛马牵引，缓缓向清河王宅行来。绣幰车，高幰车，鹿马仙车，各色幡盖，顶着森林般的旒旌，旒竿，器仗，还有彩帛杂化。浩大的队伍在一箭之地外络绎停下，聚作一团，彼此连接，这是预备张灯作戏了。

观众们睁大了眼，仰见了众车上如山如海的一大片彩棚，灯明恍惚间，看不懂是何能的巧手扎就了如此的花色，只能看到洋洋洒洒的金雪银屑，散落在灯山上缤纷的塑像间，在曜曜光火中，散发使人眼花缭乱的彩色，停顿夹道人群之间，微微摇动。众人见状欢喜，渐渐地，这啧啧赞叹，激起一片歆羡狂奋的呼喊，如林般的手臂举向半空，隔着扈卫的兵士，像是争着去够那闪亮的，又是可望而不可即的金光银火。

好不容易，挨近了，他看到嵚崟巍峨一座花山。隆崇灯山的主体，是区区金光熠熠的圣像。圣像都是从洛都各院的上座遴选出，结珠绣像，金缕绣像，珠佩像，夹纻像……在这有限的小街里，众像堆作一处，头顶着不同样色的金伞宝盖，殊为奇观。可是，另外一方面，无论金、玉、石、泥、琥珀、料器，无论说法、无畏、与愿、降魔、禅定诸状，祂们的衣褶波纹，如涟漪、如怒涛、如山林，饰物万千，纵然丰饶弗边，却就像一幅巨大的说法图卷，了无中心，也没什么让人勘得明的理路，若是定睛看久了，就仿佛沉入一片可畏的静海中了，茫无头绪，与它初刻给人的庄严印象截然相反。缣帛，幢幡飞扬，挥洒香水。

车马腾沸中，身边的众生却不在意这些，汹汹然没有一刻休止，他们手舞足蹈，各是各的盼望，自有自的分解，耳嘈嘈，目敻敻。

——忽然间，塑像纷纷“活了”，在车上所扎的绢山间，原来早已埋伏了结束停当的角色，有若干傅粉着朱的伎乐歌者，或立或卧，旁边是彩旗素甲的神兵，满山而出。他们彼此应和，扮演起菩萨降服四方妖魔的场面。观众齐声喝彩，迫人的节拍，更催得一颗心突突地跳动，到了锣鼓最响亮的那一瞬间，装扮成天神的一人举起木头宝剑，厉声大呼，挥剑砍向象征妖魔的纸偶。

他眼见那纸偶的颈中竟流出鲜红的血来。

狂热地喧闹着的众人一阵欢呼鼓噪，对这等“异象”却不以为怪。

游行队伍中，为众人所簇拥的为首一人，口中喃喃念着经文：

> 无量大宝王，微妙净华台。
> 相好光一寻，色像超群生。
>
> 雨天乐华衣，妙香等供养，
> 赞诸佛功德，无有分别心。

尽管守护的兵士拼死弹压，群小还是渐渐迫近了游行的队伍。在他们不时的冲撞下，一众护卫着的一尊丈二高的镏金佛像逐渐立足不稳，在彩车上眼看摇摇欲坠。情急之下，兵士们挥鞭向拥挤的人群劈头盖脸地打去，有人脸上被击中，顿时血流满面。看得见的，光是狰狞的表情，他们悲戚的叫喊，在海潮般的人声中却湮没无闻。

可是看客们并没有丝毫退后的意思。

终于，游行队伍到了他们的终点——清河王宅，如今改称作追平寺。在门前，兵士们企图在人群和门扇之间划出一道隔离地带，好让寺中人打开大门放送佛队伍先行进入，但是一切却归于徒劳。彩车只得又在门前再度停下，张灯作戏。其中四女子在车上缓缓站起，扮演《维摩诘经》中“天女散花”的故事，一女子身披璎珞，作菩萨沉思状，两女子扮作比丘，低首诵经，另一扮作天女的女子手持花束，手拈花朵向人群撒去。

岂料大家都想抢到最美的一束花朵，全不顾“天女散花”本是劝谕世人不可有“着实”之心。疯狂的人群向前涌动，为最前的一辆彩车所阻，将人潮挤成了两弯新月形。守护的兵士本欲就此打开大门，让游行队伍进寺，却为眼前的骚动吓住了，迟迟不敢撤去门闩，失控的人群，全都压迮在中空的板门之上，终于只听得咔嚓一声，门扇的木轴折了，大门洞开。兵士们眼见再也弹压不住，便索性让开一条大路。那尊本就摇摇欲坠的大佛经此一击，终于砸将下来，在地上摔得粉碎。

涌上的人群一阵欢呼，一窝蜂地冲进清河王府，再也顾不得那身后还没有完成使命的送佛队伍，先前抢到的花朵都在地下践踏为泥，辕门前的戟架被踩得粉碎。

王府不通宾客已久，其中的侍卫早已无影无踪，主持局面的，就只有几个苍老的臣吏，无法应付目下的变乱，剩下的家奴中，多有一些年幼孤落的童子少女，大家都不大清楚他们的父母是谁。这些孩儿们，目下面色苍白，吓得畏缩在一隅。胆子大些的老臣吏奔走呼号，想要引导乱民们“游赏”府内园圃，可是嘈杂之中根本无人理会。

时时地，有炬火从人手中碰落了，传来一阵阵皮肉烧焦的腥臭，惨叫淹没在鼎沸的人声之中。混乱里，人们竟都顾不得脚下的道路，街头巷尾，一堆一堆醉汉和野狗留下的秽恶，都让万千脚步踩过，并转入院内的漫砖，没一会儿，轩净的堂宇遍地都是污渍。

眼前的这一幕让他不知所措……他无力进到自己想去的地方，一时却也无法退却，只能听任汹涌的人流扶挟着，在院落与院落之间游来荡去。拥挤间，男人和女人都已顾不得彼此间的礼数，来不及分辨身边人的老幼尊卑，只能感觉到身后一躯躯热乎乎的肉体，隔着衣服彼此摩擦，也不知是男子坚实的胸膛，还是妇女鼓胀的乳房，每张汗津津的脸庞上，都散发着油光和腾腾的热气，每双童蒙无知的眼里，都闪着欲望与渴求的神采。

就在这一片混乱间，一只多毛的大手在他的后颈上一摸，让他突地浑身一抖，他奋力挣扎出来，回转颈项去一看，在那张张盈满贪浊的脸庞之上，竟然全都是些不成模样的猪狗人形……

“来来，为爷叔们弹奏一曲！”

费了一番周章，进得佛堂，他一眼便看见两个熟悉的身影在地上撕扯，那骑在上面的，正是几个时辰前还在街头瞥见的朱姓屠户，而他身下衣衫不整的，竟然是已被砍去一只手的歌伎阿秀。

就在电光石火的刹那，他的脑海中，不同的疑问就如同这同时发生的事变，在空间中的各处炬火般升起。

那躯令人遐想的金像呢？它本是此处的“主人”，预备迎接由洛都各处行来的“客人”。可是，帷帐深处，石头围屏的前面，此刻是一片空白，莲座上只剩下支离的碎片，朱红彩画的楹柱间，发生的是另一种不可思议的事变。

“主人”早已不知去向。

这一刻，清河王的女眷们都躲在偏房中，惊恐悬侧地注视着这一切，束手无策；一队本已就位预备弹奏的歌伎见此变故，吓得动弹不得，竟然也忘记了逃走。原来大家的谕旨，只是舍为佛堂的几座院落可以任由出入，而安顿家眷的偏房和有兵士看守的佛塔外人则不能涉足，这一刻，蜂拥而至的人群却已顾不得这些了！旋室，洞房，无论窈窕幽邃，现在都是四门大开，所到之处，到处传来粗俗的戏谑与呼喝。

渐渐地，这戏谑变成了轻浮的调笑，由呼喝而至淫猥的狂呼，妇女的尖叫声和苦苦哀乞声此起彼伏。

偶然回过头来，他看到远处浮图上有炬火闪闪，再环顾楼阁高处，腰檐上举起的望楼里，分明有被铠执仗的兵士走动。先前负责弹压的军卒，放弃了地面的秩序，已经撤到暴民不及的高处。他们全副武装，虽然时时探头出来观望，却没有丝毫要下楼干预的意思。

乱了！

他还没来得及思忖这一切，就已被扶挟在这暴乱的人群中，一不留神，便被乱民挤倒在地上，几只手粗暴地推倒他身边的几案，几双脚立刻从身上践踏过去，另几只手挥舞着篙竿木棒。瑟瑟发抖中，他以双手紧抱前额，身形蜷缩在庭院一角，简直不知该如何自措，也不能站起向外挪动一步。他瞪大了双眼，看到面前手中，炬火纷纷坠落了……它的主人们不知去向，炬火滚落在地上，这失控的光明满地流淌，它所经的一切，慢慢都变成了它的一部分。半年之间，他看到这地狱般的火光，分明是第二次了，鼎沸的人声，让人听不到火风的尖啸，悄悄地，眼前的一切都在幻化的光焰中消失……

暴行渐已不止于言语和动作，而转为对这恢弘府邸的劫掠。人们袒胸露腹，乱发科头地奔走，仿佛是服药之后需要行散；有人掘出了厨房中地窖内的美酒，自顾自地开始畅饮；不用说，那刚刚准备好的随喜斋食，也全都成了群氓四处抢掠的战利品，吃完后随地一扔，所有无足轻重的盆钵，皆在莲花铺地上砸成了齑粉。吃饱喝足的人群，三两成伙地组成小队，开始争夺他们看得上眼的宝物珍玩，直拾得囊箧满溢，也不愿意一时罢手。间或，有人为了同一件战利品争吵了起来，与手之间，打得头破血流，小件的家具，无论是短几还是食案，都被暴民拆散了来，用作趁手的兵器。一时间血肉横飞，惨呼连连。

就这样折腾了整整一夜，直到抢掠者的精力都已经耗尽，才开始有人打算离去，沸火的人声次第沉寂，方现出受害者悲苦低回的泣诉。院落之中，依然有人撕扯着受尽蹂躏的清河王府女眷，在画廊之间游荡如巡街，这幸存的数人大难不死，却已面色灰白衣如破絮了，暴徒显是并未饶过她们，又要劫她们到别处淫乐。他瑟缩在屋内的一角，目视着这阿鼻地狱般的一切，已经感受不到自己还有任何的思想……

突然，就在片刻间，他的意识突然又如灵魂附体，回转过来。就在眼前，垣墙上方，蓦地升起一排通明的矩火，将庭院照得如同白昼，几乎令他目盲，他警醒过来，看到院子里的光焰已经燎成一派熊熊的大火。铁床铜柱，烧得洞然，仿佛有人事先在柴堆上浇潦了油膏，火势才扩展得如此凶猛，大火过后，概无遗燎。

木塔三层上，有人厉声喝道："暴民劫掠清河王宅邸者，一律格杀勿论！"

一刹那间，在院落四周的高墙上，谯楼里，赫然站满了军士，火光映下，了了分明。夜空中伸出密密麻麻的弓弩，箭石雨点般向院内的人们射来。

大惊失色之下，人群向四面蜂拥而逃。短暂的平静过后，弓箭手再次取箭上弦，射向院中没头苍蝇般逃窜的乱民。转瞬间，活人和活人的肉身抵顿在一处，墙边尸丧堆积如山，院中隙地里，受伤未死者和未受伤者互相牵掣挣扎，而倒地就命者被数四践踏，他们创口中的箭杆或被触及折断，此起彼伏的号唤听起来已不类人声。第三轮的齐射结束，是箭镞带着红亮的火矢，它们落在出口附近的门庑中，那里渐渐火浪汹汹，断绝了伤者向外逃跑的念想。

看来，东院未有弓箭手设伏。于是，大多幸而未曾中箭，或是尚未力竭的伤者便纷纷向那儿涌去，没一会儿，捷足先登者已经翻越墙垣了，疯了也似，不顾一切，覆瓦院墙上的瓦片纷纷坠落。可是谁能料到，东院垣墙外早已排满了卫队，密密麻麻手执长兵，他们手中闪亮的矛尖高高竖起，顷刻间，就洞穿了越墙而过的人的胸膛，就如绝望跃出沸腾水面的群鱼，又被鱼叉挑落了……有些地方，死丧很快堆积得比院墙还高，矛尖如森林一般，戳在横七竖八的尸体上，阻断了更多的人逃生的去路……

不知什么时候开始，不仅是院中的陈设，就连厅舍、花园、弓箭手藏身的偏院……所有剩余的一切，也被黑暗中的纵火者点燃了。火圈的外围，动弹不得的受伤者略抬起头来，就看得到人影幢幢，四处奔忙。火势先是从院落的一角弥漫，然后便是亭台、树丛、尸丧……尸堆烧灼溢出的油膏，散着刺鼻的气味，大火劈劈啪啪地在整个清河王府中蔓延开来，甚至越过了里坊的垣墙，烧着了大路上的树木。

隔着这些树木，人们看到兵士们撤离了现场。他们收拾起骚乱者未及破坏的宝货，匆匆地载上街中的大车，不及片刻，又出没在邻里的坊市中。不知何时起，那里也是熊熊的一片，在黎明前的大街上，守夜人望见洛阳的天空周彻通红。就像整个城市的房屋都被点燃了，即将披染开的晨曦，在这光明的映照下也变得黯然失色。

想必城中各处都发生了类似的事情。

他没有死——在这一片混乱中，他免脱于踩踏，甚至连箭都未曾中一支，他来不及想，这一切是否幸运得有些异常？只是兀自地发足狂奔，情知外面仍是死路一条，索性就拣偏僻的厩院逃去。他的意识里，只留着那片地狱般的熊熊大火，和满世界的哭喊，以至于他全然没有记得，自己是由哪条路逃出清河王府的。只想起来，很快，身后就没了追兵和暴民的人影……可是，情急间他找不到仁德坊的偏门，绕来绕去，神使鬼差地，他又绕进了偌大的野地般的后园，往昔那夜晚的漫游中，这条凫游在水头的沙洲，是他常常停驻的终点。

这正是暮春时节，地上却铺满未打扫的去年冬天的残叶，厚厚一层，宛如波斯织毯。它们教累次的雨水浸透而腐烂了，发出一种奇异的、类似苦槿花实那般的恶臭。他走到上面，顿感自己的脚步声消失了，天地间突然变得一片安静。

经他亲手修补完好的那盏石灯，如今又摔残了，静静地躺在草窠里面。清河王夜宴郭欢的那片白沙地，于今已经长满了荒草。

池塘中满涨着脏水，水面上漂浮着枯叶。

——在迷宫般的柏树篱墙之间，他骇异地看见，小路尽头是清河王清癯的背影，他倚着一棵大树站立，风帽垂裾及肩，竟似永宁寺塔里那诡谲的黑衣人。

惊得要大叫出声。可是，清河王却并没有因为他的出现而转过身来，他呆立片刻，看了那一袭黑衣的背影最后一眼，调转身形，想要逃离这诡谲的一幕，却意外地看到身后的石案上端放着一个人头，清河王的人头。人头的下部还粘连着皮肉和斑斑血迹，上面，却是近乎透明的苍白，凝固着他所见过的最为冰冷的笑容。

在石案后的壁面上，镌着他曾熟悉的那些字样，隐隐回泛金光：

幽显报应，有若影响。
出处成异，终期必同。
多有不幸，悯伤怜之。
以何方便，而令丰饶？

第四章

一

终于，洛阳沉寂了，就像那尊火焚后的大佛，原本摇摇欲坠，又经雷霆般的一声怒吼，从半天里直落下来，摔成了一堆齑粉。这些天的残杀和毁灭之后，就连杀戮者自己，也都累了，倦了，把能抢到的尽可能装满驮马大车，他们陆续逃离了这座城市。终于，再没有监工，没有夜禁，也没有看守护军的呵责了。

自由了，可他的心中却没有丝毫的喜悦。

已经习惯了许久的安稳生活，须臾里，他又是身无所寄了。洛阳的丘墟间，已经没有任何可希求的东西，哪怕是一穴幽晦安静的洞窟，一块幻化美梦的石壁。十室九空，一片焦土，坊头街尾，随处都能看到死人的尸丧，渐渐变成深黑红色的血肉，慢慢渗入身下的黄土……几拨兵马过后，青壮男子尽数被劫出城，妙龄女儿都随了军汉，庄园府邸全被抢劫一空。不出数旬，竟然，都下都听不大到鸡犬活物的声音了。那些未及出逃的人们，眼下悄无声息，应该是困守在一切可能的藏身处：复壁里，重橑内，鸡埘，马厩，果园里守林人的小屋……大气都不敢出，他们焦虑地问着自己，会不会还有下一次的兵祸，又一轮的罹难？

可是，此刻无处安放，悬知未来？

三三两两地，劫后余生的洛阳人，又走到了光天化日之下，就像大雪初融后出来求食的田鼠。城里断粮已经数日，绝望的饥民，此刻不得不从藏匿处现身，在废墟中四处游走，原本戒备森严的禁域，现在都任凭人们出入了。同时，群氓彼此间又充满了警惕，他们刻意保持着距离，希望不至成为对方猎食的对象。随着郭欢的西凉兵卷携帝室远去，洛阳城里已经少见大规模的杀戮，但是为了少量财食的流血争斗，依然此起彼伏。悚悚不安，如同荆棘丛中的野火，仍在废墟上星星点点地蔓延。

有阅历的老年人，此下也心中悬恻了：看样子，传说中久远的变乱时代不远了，时气和瘟疫该紧随着到来了。那些躺在地上，尚有奄奄一息的可怜人，将来都是充填沟渎的运命吧？

拣了一套死人身上的衣服，潦草回换了，从一个倒在路边的军士肿胀的脚上，又扒下一双破皮靴——蓬头垢面，总胜过衣不蔽体吧！然后，然后便茫然了，他在残垣断壁之间踽踽着，不知要往何方去。两天没能觅到吃食，只是在途中乞到了半块胡饼，好不容易有了一点力气，这才能勉强迈开脚步，下了决心，沿着宫门前的横街向城外行去。

仿佛是为鬼物所驱遣了一般，他又回到了最初来到时的广阳门外大道上，那，正是他和一行人遇到那位天竺幻师的所在，从这里折而向北，地势一点点地高起来。从前，洛阳的人们不仅在此迎接远客，也是聚到这儿藉卉宴饮，折柳执别的；可此际，他们只能零星地看到倒卧在地上的死丧。上得山去，道旁所有的柳树杨树，周径稍微粗壮一些的，大都已被乱兵砍去，或作了柴火薪炊，或修了鹿角工事。最可怖的，是那些果树子实尚未长成，就为饥不择食的人们摘去了，几乎无一幸免——明年何以为继？没有人回答，只余下光秃秃的枝干，在风中瑟瑟发抖。

原本村坞相属，路上偶有未经践踏的田野，也通通遭荒置了。乡正逃离了他的职守，农人舍下了自己的陇亩，早没人来刈草，没半年的工夫，野麦苗间便伴着丛生的蒺藜了，田间垄头，到处丢弃着破碎的汲瓶陶缶。

遡空而去的苍鹰，发出悲鸣，把他的视线向着山下遽然拉扯去。在山路上走了许久，他猛一回头，简直不敢相信自己的眼睛。

天竺人讲过的那个故事，油然地在脑海中回响起来：

琉璃宝床上，他们倒头欲眠。可是导师随手又点灭化城……

曾经那么耀眼的丽景飞甍，都在目下无影无踪了。从高处望去，城内，如今是一大片一大片黑色的，烧透的房顶，不论玉石金土都一等焦然，幸而未倒的佛塔，大半也揭去了金铜顶盖，城垣里还有几缕淡淡残烟。锦带般的洛水中，黑点流泊四散，都是浮动的死人。光芒闪耀的洛阳，他曾经看到的，居然就这样倾灭了。

他不忍再回头，只能一意行去。由此向北，渐行渐远，渐行渐高，城中的惨痛慢慢消失了，黄土路旁又可以看见盎然的碧色，崇墉连冈，林木扶疏。

只是，再没有明媚的少女由此打马驰过了。

在身后，洛阳的身影愈发渺渺。终于，当它缩成视野中不大的一块时，细节已经模糊不清，一切丧乱的痕迹都消失了，依然有点点金色，在远方的天际线上跃动。

二

穿过密林间的小径，往西北再走一个时辰，就到了邙山帝陵。纡郁的大山，俯瞰着山谷下的陵邑，树木茀蔚繁盛，蘧蘧攒集。

这里四围本皆邑户，行不远，就是一座繁庶熙攘的小城。早先，只有最出色的匠人才能选拔到这里服役，王侯公爵，也乐于把他们恩幸的家臣遣到这里轮值，宣示他们的功业，和永宁寺工场的制度相似。可是，如今一切也已遭荒置了，恐怕，是在这一次的大动乱之前就已是这样。偌大的行宫，寺院，清庙，如今尽作了鸟雀栖居的墟室。风雨侵入城隍，墉堞亏坠，厅宇凋朽，墙垣颓坏。

他看见葱翠紫蔚的一座殿堂，在山间，屈曲连拳。有一线光明召唤着他，直上数十余丈，头顶曲树垂下枝条。这里堂阁周回，赭白分明，迢峣的重阁，杈枒出柱。可是无论重楼飞馆，画壁朱楼，都结满密密的蛛网。显得败落已久，林木黝纠，绕着那不见底的深泉玄醴，虽值孟夏，却让人顿生一丝寒意。

山坳之中，偌大的十数座陵地，竟然空寂无人，守陵的兵士也不知去向。沿途丢弃的日用器具，只有下等人才会使用，喻示着毕竟也有饥民流徙到这里。一路新烧燎的痕迹，沿着路旁折断的树枝迤逦数里，此地，恐怕也刚遭受过一次类似洛阳的浩劫。

封土就着山势抬起，面前新长的树木幼嫩，不如山谷中其他的部分，非常容易辨别。穿过一条植满杨树的大道，他行到今上的神阙，只见满山森森的松柏苍郁如旧，神道上业已完工的石兽依然挺立，墓表也格外壮丽威严，只有几具小点的石像，三两歪倒在道旁——看来，毕竟，这死人的世界，还是受到了最少的袭扰，只是地表以上的屋宇，大多被纵了火，屋顶烧漏，露出了森森焦黑的屋梁。旧宫门口，再没有如龙的车马，只有一两只苍鹫，偶然振翅飞过荒凉的山谷，它们孤独的唳声响遏行云。

他巡行在神道上，步履蹒跚。就在此刻，一缕莒饭的香气从松林深处飘来，若有若无。人饿久了，这香气变得如此熟悉，又是如此富有诱惑，以至于他瞬时忘了危险，情不自禁地加快了脚步，循迹而去。一道残碑，初具雕镌出的螭首，仿佛知道他的心意，斜卧在草窠中，指引着他的方向。

于是，偏离了道路，转进了密林，一把拨扯开面前的杂树，他看到灶下遽猝间打翻的锅镬，树丛里刚熄灭的炊烟，还盘旋在林间隙地的上空。

有人!

面前没有了去路，树丛后，一个瘦小的老者遽猝间闪将出来，须发皓白，衣衫褴褛。他的视线垂落，看到老者正手执一柄缺了口的短刀，向他比划着，神色警惕又惊恐。

“来者何人?”

他蓦地清醒了，心计飞转着，脑海中又闪现出此前看到的幕幕画面：那些因为抢夺吃食而丧命者的尸丧，不还丢弃在洛阳的大道旁吗？他退后一步，眼光瞥向林中的那堆灶柴，又扫过老者身上的服色，分明是个未及撤离的守陵人，并非山中盗匪。他嗫喏道：

“阿爷莫恼，我是将作监属下，不是乱兵……”

“将作监？祸事注连，所有山陵役作都已撤除，打造工具的工匠早已逃亡，这儿再没将作监，没你的事儿啦。”

“我……我只是没有去处……”

疲顿的老者奇怪地看了他一眼，像是不敢置信。沉默片刻，又似是忽然理解了他的意思。守陵人长长地叹息了一声，转身，导引着他向半山间行去。

行得百十步，转过一个山坳，苍翠灰黄相间的山野里，露出星星点点的白色。满眼大小工事未竟的石室，新起的墓圹和葬穴，尽是那在河阴被枉杀的元家子弟，以及为他们断送了性命的公子王孙。这些亡人，有的信是假葬，将来还要迁葬他处，有的，却等不及更造新坟了，路旁草草掘开的闲土，就是他们的永窆之地。

新坟旁边，节次排开的单层墓塔，埋葬的多是沙门的遗骨，木壁柱的塔身，瓦垅线道，须弥座基座，白色受花的塔刹顶端，悬系的灵旗已经残破，独在风中摇曳。

眼前萧条而清冷。空无一人的驿路，让他不禁想起上洛途中，深山中曾有过的那些络绎的车骑，它们穿越郁郁林莽，向着嵯峨间的台榭……纵然北邙终日都在望中，须知，寻常洛城人的足迹无计到此，他们只是在城中奔突，夸奢竞富，争胜恃强，互订松年之契，享受着人间种种。他想象着，那些与他照面的公子王孙们，只是无事时，方撞入这幽境，寻着绝壑头的园池，叹着青琐里的珠璧。曾几何时，他们登临迢递百寻的玉级，驰过迤逦十里的朱垣，甘泉美岫，令人流连忘返……他想象着他们如今的长眠处，心境就会沉静下来，他知道，那些风光节物最终的归宿，不过也便是今日、此地……他想着这些，长久以来累积的怨念便渐渐平复。

他，倒像是一个深深痛挽的凭吊者了。他站在来路的这一侧，想着昔日洛城人之所想，为洛阳和它的结局所神伤。

秋风袅袅，木叶飘零，交映长日的神光黯淡了，在呜咽的深泉畔，也在他自己的心湖里，他徊徨着，投落长长颓唐的倒影，

曾几何时，邙山是又一个神都，是地下亡人的洛阳，如今也是他的归宿所在。

一切远望历历在目，却要行得一炷香的工夫，才能走到在山陵厝身的公子王孙的墓圹旁。大小依序，昭穆有次，并不难以辨认。大多平缓的山势之间，累累的冢墓相压，

只有一个比较特别，孤零零地，直立在疮耸惊人的危岩下，规模比其他的为小。它的墓道只及建了一半，封土都未来得及转移，显然在事变里不及工毕，但是，因为山岩壁立的缘故，这里依然显得窅然深绝，仿佛幽谷之间，蓦地出现一个巨坎。

盘纡累结的山道尽头，光天化日之下，墓穴露出了黑黝黝前室的石门。

三

看到那个尚未封闭的石室入口的刹那，不知怎的，久已死寂的心居然怦怦跳将起来，就像是又回转到了少年时，想起和那会儿仍是少女的妻子偷情的夜晚。经历了长久的等待，她终在模糊的树影里出现了，眼前石室黑洞洞的前扉，就好像是故乡别院里那扇隐秘的蓬门，或者后山少人去的峃口……在踊跃无量的欢喜中，他笨手笨脚地褪去她的衣衫。

他抬头，看到重云密布的山村夜晚，星光黯淡。他俯下身来，只有她妍净的面容依稀可辨，还有她胸前的那颗红痣……

在他身后，遭打开的半爿石门，又沉重地落回了原处，止门石早被破坏，门枢门砧配合不济，只能将就着开合了。石室内部，为斑斑的烟迹所掩，依稀看出来一座地下宫殿的轮廓，通体是用经过粗凿的石条和石块砌成的，所有支撑节点都是模仿木构，上面的文饰也不例外，像是一座写意的“殿堂”，就连棺椁和祭台，也布置成生人室内的大略情状。通向内室的甬道两侧，未工毕的孔洞内，隐隐然有佛像的轮廓。

和真的殿宇相比，较大的区别，是在柱与柱之间。原本该是门窗的地方，这里全都镶嵌着巨大的石块，生人世界的厅堂里，向外看去本该远景无限之处，此下却是一堵冰冷的墙壁，错缝垒砌。仿佛是要弥补这种缺憾，有些石块上已刻了惟妙惟肖的门窗，连木构的种种细节也无一遗漏，在这户牖之间的图画，分明是模仿着室内向外观望的样子，似乎想要这幽晦的石室透点气儿；而工匠到底刻下了什么样的风景，想要观者看到什么，因有新染的烟迹覆盖，面目大多并不了了，要凑近了，才能看个究竟，大多地方似是一片空白。

地上扔着苇席，席旁弃掷了零星的陶罂、瓦釜，稀薄的一层麦饭颗粒，不是蒸熟而是烧焦了，粘在缺少釜架的瓦器里壁，木箸只剩下折损的一根。就在石棺的顶盖上，还扔着一把守陵老者手里那样的铁刀。

想不到，就连这儿，竟然也已有人“捷足先登”了，流民们没有都灶，看来，是如同野人般地在此过活了一段日子，因为离开得遽猝，用具都没来得及收拾。麦饭，糜子，菜果，盐豉，教遍遍搜刮得不剩，残缺的耒耜扔在一旁。

通过那些门牖线条勾勒出的孔洞，他向那幻觉中的“远方”瞧去，“窗外”是起伏的漠北的山峦，草场上奔跑的牛羊，三月春阳中穿行的马队行旅，甚至还有些散落在树林间的建筑；在庭院中，有人席地而坐，举杯宴饮，或举手交拜，一旁有侍女手执数重锦绣围屏，或是伞帐流苏。不同于他在万佛洞中习见的那些千篇一律的佛像，这些，都是洛阳城中他见惯了的人物，他们看上去神采不一，各具情态，仔细看来，那一颦一笑似曾相识。他从“窗外”转身回来，环顾身边的石头障壁，画面却仍少许多，人物或有没有完成的，不知是教烟火污损了，还是尚未工毕。就连殿堂尽头该安放主人神主的地方，石壁上都还只有一个方格。

在这石穴的后部正中央，有一具空荡荡的石棺，连同三面立起的围屏，做成大床的模样，灰尘朏朏，也不见图形或是字迹，尚未雕镂任何内容。

他掀不动那沉重的盖板，只能侧身俯在密闭的石棺床上，似乎想要倾听里面的动静。里面却只有嗡嗡的声音，像是一片空无的大海。

在这石棺床上胡乱堆了一堆柴草，他就昏昏然睡去了，一片晦暗的梦境，似又带他回到了代北的万佛洞中，却未全然脱离身下这具石床。白昼里，在由洞外射进来的微光中，他记住了眼前这或有空缺的墙壁，不见雕镌，倒像一个还未有歌戏上演的舞台。在梦里，不再只有一尊尊形容肖似的圣像，满满的都是石窟的赞助人们，比北都活泼，如洛阳一般生动：无论公子王孙，还是贩夫走卒，全都人物宛然，像是立刻就要在石壁上活转过来，生火作炊，出游行猎；到了夜晚，他们便谈笑风生，闹火火地出现，一个接一个地涌进他的梦中，在这一堆人中，或没有面目，或缺胳膊断腿，大概都是些没有完工的画中人物，他们吵嚷着，朝他诉说着自己的不满。

可是，王妃并没有在这群人中，她甚至没有出现在他的梦里，他是那么思念着她，那高傲，冷酷，温存，美艳……的表情，奇怪地混融在他的脑海里。为了她，他已经把这世上的一切念想都抛个干干净净，甚至连最初兰芝的影子也已模糊了。

宛如平原上无边起伏的松涛，每一根松针的颤动都说着风的气息，可是她越是无处不在，便也越无形无影，不可捉摸。

她只是没有一个形象。

他忽然想到，身下的棺床是空的，王妃的遗体并不在此，或许，这就是她的亡魂迟迟未归的原因？或者，他曾经听刘胡说过，草原上来的人，相信在死后该把他们的肉身焚化，只留灰烬和少量发齿，和合在大瓮之中埋葬。他听说，陵地的山野之间，散落着可以远观却不能登临的小塔，就是为这些马背上的游子所预备的，它们有别于中原人的身后地，是胡人特别的窆所。

如此，一切皆会空了，一切将难以捉摸。都说人死之后，魂魄将和遗体分离，无论上行还是下潜，总是可以感应于生人的精神，不至于像俗世中人那般，囿于肉身的桎梏。

既然如此，何以在这熹微的暗室之中，又架起空空的宅院？

人身虽有生死之异，至于精神则恒不灭。此身之前，则经无量身……他喃喃地颂祝那老胡人教给他的口唤，难免又被更具体的怨念搅扰——难道，“她”还没有死？或者，她的魂魄竟沦落在幽冥之下，因为生前的无行和罪谪而不能出脱？或许，和万佛洞中的情形相似，只要为她生造一番功业，就可以使她出脱百丈黄泉下汹涌的玄流？

苦思冥想之际，他不自禁地翻下石棺床来，痴呆呆地，面对着棺床后墓室主壁上的那些个空白，在伸手不见五指的黑暗中摸索起冰冷的石壁，设想着她该在石壁上留存的痕迹。

只是这次他手中并没有一把刻刀。

四

吱扭一声，石门打开了。捧着山下寻得的灯盏，他又回到了昏暗的石室内。未及填埋封土，修补门枢，石室难以严邃，不至于陷入全黑，却也听见了外边呼啸的北风，各处缝隙，让寒凉的空气钻进去，又一个严酷的季节行将到来。已经是一夏的青黄不接，身上只披了件麻衫，破损得里子都露出了，他脸色铁青，胡子拉碴，眼光黯淡。

一切，仿佛又变得如同万佛洞中一样……

就着烛光，那被火烟熏得漆黑的石壁变得清晰了。他用袖子擦去墙上的烟迹和尘土，急不可耐看那细细的划痕，划痕与光滑的石面不同，只要稍加擦拭，黑亮的石壁会更黑亮，浅凹的沟壑便现出景物人像。眼光一及石面上依稀的画面，他便露出了光悦的容色，那样子，就像久别重逢多年的识知。

透过墙上片片漫漶的污渍，他看见了身边石壁上并不真正空白。那些早先以为短缺的画面里，隐隐然，有幅更为细密生动的线刻，就好像梦境中，那些向他讨要了魂灵的人物终于活转了来。在他擦拭出的那最后一幅画面中，描绘着一片春天的田野，好像是有人在其间走动，神情细节，比石室墙上的“远方”更进一层。他甚至看得见两个衣冠楚楚的男人，正在田间的土垄上交杯宴饮，他们之间认得出一方棋局。田野这边，一个小女孩正对着地下她毁坏的玩具，哭泣，不胜依恋的样子，另有一位年轻的女子，似乎是她的母亲，站在一旁，注视着小女孩的一举一动。

他愣愣地注视着这幅画面。慢慢地，在他眼前，具象的图画变得模糊了，那光亮的一层石面又变得透明，下面有细小的纹路与肌理，有如溪流、沟谷、群山、城市和村落……

渐渐地，烛火黯淡了，但被幻觉所笼罩的石壁却变得光亮起来，并且一点点变得透明……石壁看起来并不像被外物照亮，却像是从内里就光明流溢。从这光明之中，一幕恍恍惚惚的，不知所终的幻景浮现出来……

“用心。你只需用心，除此之外别无捷径。用心之后，这石壁便不再是你的阻碍，乃至世间一切障蔽，在你只是透明。你便可以穿越尘世，到达那彼岸世界……”

这恍惚的，不知所终的幻景还在扩大……他却突然撞上了什么硬物——他已离石壁太近，惊觉之下，砰的一声，额头在坚硬冰冷的石壁上撞了一个青紫。手中的灯台跌落了，他的知觉被硬生生地拽回了现实之中，痛得禁不住大叫一声。

伸手不见五指的恍惚中，突然传来了重物敲打石门的声音……那声音急促，真切，就好像又回到了万佛洞中的光景，遭奴役、教催迫——在这同一时刻，他面前的幻境消散殆尽。

“奴子何在？”

五

非常时刻，已经顾不上庄严道路，备置仪仗了，更来不及扶正倒斜路边的那些石表石兽。但是，就连许久边幅不修的陵墓看守，此刻也里里外外，手忙脚乱，忙碌起来了。守陵人在陵地间四处搜刮来的数十个流民，胡汉交杂，包括守卫在内，全都着了新装，换了稍稍严整的衣冠，列侍在御路两侧，拥塞了山陵入口。

这群乌合之众，虽然有了起码的仪轨，更大的兴趣其实是在争看贵人，他们所恭迎的，就是洛阳盛时所谓的

“法驾”了——虽然不解其意，他们也知道来者非同小可。

四五个月后的这一刻，又是西风萧瑟的时节，草色已异，秋色湛然。听说，圣人逃到西面的长安，建立了新的朝廷，洛都近畿的秩序有所恢复。这一日，一队西来的军马，为邙山的帝陵捎来了几个工匠，外加武备齐全的看守，道是治陵的工程即将恢复；紧随着第二天，山下便传来音讯，是有要人路过此地，特地前来谒陵。洛阳劫后，皇家人物的出行导从，怕是再无曩时的气象了，但是这群人依然显得与众不同，要知道，山下流民不少还在以草根树皮为食呢，但访客都是一色骑着精健高壮的马匹，兵器甲仗一应俱全。

难怪，来访者居然是当今皇帝。

山口尘土飞扬，传来金声玉振的銮音，皇帝的辇跸出现在通往神道的大路上。先是一辆前导的幰车，后面是十来个手执旌幢的骑士警跸，最后，才是大家本人所乘的金根车缓缓行来，执辔徐行的千牛将军走在车前。纵然声势依然不小，和先前洛阳城中的光景相比，这群人物的排场可就差得远了，东序、西序，本来宫中侍从的内行内小，都不见踪影，常备前驱的宿卫壮士，早没了进据之宜。就连手执金装长刀的直阁武卫，脸上也看不出多少该有的神采。

军士们既不再对百姓颐指气使，沿途观摩的那数十难民漠然的面上，也无丝毫畏惧之色；相反，他们直愣愣地盯着访客的一举一动，纵然神色卑下，呆滞的眼光中，却掩饰不住好奇，像是一群土犬，在荒野中许久没有发现自己的猎物。

纵然使足了气力高喊，守陵人的嗓子却破了，喑哑的声音听来竟有些力不从心。

山陵前，神阙下，车队停住了，车右的陪乘无声地退去，随侍的纳言，甚至也没多和大家唱和几句“可！”“制曰可！”的俗套，更不见队伍中平素高声承传的“赞者”。云麾下的阴影里，一个枯干的人形直起身来，握住面前的车辕，向前倾身在车轼上。众人瞬间鸦雀无声，透过神阙，车上人向远方的帝陵遥遥望去，若有所思地仰着面孔。

六

他曾想象过，与那般娴静高贵的王妃有着共同血脉，当今皇帝，该是如何一个俊美秀朗的人物？他也曾期待过，期待那熟悉的，似曾相识的欣喜，就像期待他手中将成形的下一件作品——冥冥之中，这些“作品”就像是上苍赐给困苦中的他的。对它们的一丝好奇，止住了他本该无边漫汜的苦痛。

眼前，该不会又生一重幻境，让他在至尊的脸上看到清河王或是王妃的影子吧？可是当他抬起头来时，一切却大出意料。

随扈的幢将、郎将们，盛装披着金甲，鞘戟鲜明，连他们胯下的马匹，大多也着熠熠烁烁的明光铠，骏足逸尘。相形之下，车中的至尊却显得分外苍老，或者，他赪皱的面目上，净是些未老先衰的征象，和他实际该有的年纪大有出入。一身袍带交缠的冕服，披裹在这人渺小的身形上，就仿佛是婴儿置于麒麟襁褓之中，那华鬘飘拂的容色，由此显得分外倦怠。

第一次出现在他视线之中的皇帝，原来有着一张憔悴枯槁的面孔。他的形容看上去并不算太老，可是，他年轻的生命好像已经提前耗尽了。

他的须发皆尽斑白了。

皇帝良久无语，车骑逋留在神道前。他的沉默，让两伙人不能不在阙下相觑良久，流民好奇打量着他们，议论纷纷，仪卫紧张不安。目光变得肆意了，慢慢地，行止也失去了该有的仪态，原本清晰的边界变得模糊。这骚动，就像不安的潮水卷过了沙滩，逐渐突破了他们之间的守防，谒陵人齐整的队形，让围观者挤得失去了行列。终于，随扈大家的年轻郎将发作了，恼怒万分：

“群小多所无礼……汝等目无尊长的贼子！还不赶紧跪下接驾！”

局势可能演变为流血的冲突，看到这一幕的守陵人急忙在其中调停，给沿路的难民解释：

“叛贼郭欢已经败退出了洛阳，现在朝廷迁都到了长安……”

他回头，瞅了瞅军将们的神色，又放心大胆地说下去：

“好教尔等听闻，洛阳已在天兵股掌之中。陵墓、宫阙诸工作即将恢复！”

旁观的人们沉默了片刻，忽然间，他们齐声欢呼，又一次骚动了，只是，他们并没有恢复平日的恭慕，并不就此退却，对仪官的号令，这伙人依然无动于衷。勃然大怒的将军们正待发作，却为后面车中大家的眼色制止了。于是，仪兵纷纷下马，排成两列人障，皇帝纵身下车，跨过神道正中的石阑，号令众人，这才往山上的陵墓迤逦而去。包括他和守陵人在内的流民，遥遥跟随在官家人的身后。

望着他们远去的方向，他已经猜到了皇帝此行的目的。皇家闭密这件事的始末，煞费苦心，想要抑止天下的冤惜，只是这陵地里，怕还留下了他们不欲外人知道的太多东西。

……使四流倾竭，一体倒悬，使漫山崩颓，生死永毕，长辞八难，永与苦别……

……欲使嘉树秀于当年，美声播于来叶，若后高岸为谷，深谷为陵，千载之下，知有此意焉……

祀辞颂罢，可以动手了。几个军汉七手八脚地除去他在石室中的布置，用铁钎撬起石棺床的一角，看客们远远地站在冢室之外，好奇地注视着即将发生的一切。由于密密人群的遮挡，他们最多也就窥见黑暗中的一角。

一声巨响，在尘土飞扬之中，石棺床的上盖揭开了。

这一刻，近侍的健儿也忘却了自己的职责，歪倒了手中执掌的刀戟。石室附近的看客纷纷聚拢，最前排的贵人层层俯身，想要窥见棺床里的情形；挤在最外的这一匝，实际什么也不能看见——他们面前所有，不过是卫兵们密密的兵钺而已。但是人群依然顽强地向近前涌去，伸长他们的颈项，簇集在甬道的入口。

这种焦虑也就是片刻，仿佛是情势发生了什么逆转，满满的期望，在人群的最深处投进了一口枯井。造次，石棺床边的人们忽地向后退散了，群小们一阵不能自抑的唏嘘。

他不意外，他也不想拥向近前。他远远地观望着这可笑的一切，猜想，他们或许竟不知，石棺床中并没有王妃的遗骨？

这群看客注目于棺床里的时候，从围观的人群中，忽有一个着幕䍠的黑衣少女走出来了——人们只顾着看他们面前的热闹，他们太息着，叹惋着，居然没有人转身来，看他们的身后哪怕一眼。好像，这满满的人群中，只有他一个人关心这些，他不只热衷众人好奇的一切，方才察觉了她的出现。他决然地脱离了大队，殷勤地迎上前去，追随她翕然的脚步，向她投去热切的眼神——冬日的下午，由门外投来的一束阳光里，灰尘飞舞，教这少女的身姿映衬得分外袅娜。她不留意室内的种种，甚至不回头看一眼那还在检视石棺床的人众，她只是独向他微微一笑，就目不斜视地跨出门去。

——此情此景，和永宁寺塔里他所目睹的那些何其相似！只是，他不会再追赶了。他知道，须要离开他而去的，终究是他不能追及的。这一幕，如同佛作化城，那幻景在他的视野里逋留片刻，只是为了教他见证，使他继续向着下一处去，再下一处……他只有在心里无望地祷祝：请在此，请在此多驻足些时辰吧！

在那电光石火的一瞬间，他注意到了这少女的眸子。他别无奢求，便能排摒杂响，看到她的眼睛，那褐色的，分外清澈的瞳仁——面前这眼神十分柔和，十分平静，让人欢喜，它既不像兰芝的那么悲惋，阿秀的那样绝望，也不似王妃那般残酷无情。

永宁寺工场中，宝塔里，中宁处，她才是那个拜倒在佛前的少女罢？

这次，他并没有追出门去，他在原地若有所思，思想由心而发，逐渐收拢了眼前的幻象。光亮所及之处，军士们擦拭过后，石室露出了完整的券门，有洁白的文石质地，在他不曾注意到的门楣外侧，原来还刻着两只孔雀，回首向外望去。虽然在佛堂里多次看到这回望的神鸟，他其实并不清楚，孔雀到底要看什么，又看到了什么。墓室深邃幽晦，外面人声闹火，他踏在幽显的门限上，不知所措。

的的确确，这一次是真的，他又听到了那熟悉的歌声，众人齐唱。就像那个漆黑的夜晚，在太极宫的庭院中所听到的一样：

琬琰之玉，

今在淤泥中。

何不作挽歌，

使我寂寂上道耶？

在他的身边，围拢着石棺的军士们散开了，他们推搡着陷入沉思的他，使他不由从迷惘中警醒。从外围蜂拥而上的群氓，填补了贵人们消失后的空白，接着，从另一个方向推搡他，那些面目可憎的新来者，还在争相涌入，可笑地争着一睹王妃的“遗骨”。不出意料，最后这一群人，也惊异地发现，打开的石棺竟是空空如也，内部未经雕镌，周边也未留下任何开启的痕迹，仿佛由来就不曾使用过。

只有女子发髻上寻常可见的一只花钿，静静地躺在棺底。

这一刻的失序中，卫士们也乱了职守。闲人们像是失了魂儿，他们垂头丧气地涌出门去，不成体统，乱作一团。在狭小的甬道间，圣人竟然被难民们推搡在了行列之外。最终，山道上又只剩下他一个人，呆呆地立在那里，向幽深而又阴冷的石穴投去无助的一瞥。

“陛下，莫非，莫非又是郭欢？”在这一行人马又将踏上大路时，随扈的郎将忍不住问道。

“陛下，郭欢的军马已经北去，洛阳的防务无甚可忧。此际民间议论颇多，或还是将清河王的灵厝迁来奉安于此？”

还是没有回答。只是，在压抑的、可怕的长久沉默之后，皇帝忽然发出一声歇斯底里的、犹如垂死的野兽般的叫喊，随即，他竟像无助的小儿一般哭泣起来。他倾身伏倒在车轼之上。

七

深谷中传来隆隆低沉的回响，山陵的夜晚不复往常的宁静。他知道，重又聚拢来的工匠们，正打造眼下最需要的东西：一批称手的工具。洛阳北郊人迹寥寥，找到他一样熟谙雕刻的，本是件大不易的事情，好在乱后缺粮，数量可怜的盐米，就能招徕有一技之长的饥民，将作监恢复诸工作的第一步，总算有了眉目。本来，工场离开陵地应有相当的距离，以免惊扰圣听，现在也无人顾及了。

朝廷在此设置了全套山陵造作的制备。结满蛛网的故宫里，内作署大库之中，本来有大量堆积的旧料和工具可资利用，可是郭欢的乱军由此经过一回，据说，可以打造兵器的金铜，早在那次播荡之中就已席卷而去了；与此同时，贼人们还捣毁了所有可以资敌的设施，连同器械一起，都悉数折损了，原本府库盈积，如今却空空如也。于是有胡人匠师建议，冶炼作坊中还剩下一个已经半成的土穴，不如加以利用，首先穿凿一具简易的竖炉，自己捶制若干斧錾。

在冬日燃起这样一大堆柴火，使人备感温暖。有事无事，奴子们都不约而同地聚拢来，饥寒交困、衣不蔽体的役夫们乐此不疲。直到向晚时分，依然都有人围在火堆旁边，有人皮橐鼓风，有人操持着铁锤，有经验的老匠师，指挥着大家将小块熔铁折叠在铁砧上，反复锻打成工具需要的形状——他看得出来，和将作监里为郭欢制作金像的相比，临时拼凑起来的这伙人既非良工，手头也短缺材料，打制出来的，绝非什么“百炼钢”了，或许只是济一时之需。老小齐聚，聊天说话，只是为枯燥的工作增添几分乐趣。

他不善此艺，只能帮些小忙。没有城中的桔槔井栏，这里只好以大量的人手，一道道从远处的溪谷里汲来生水，连同老人孺子，都来轮流相助。铁匠把锻打好的工具一遍遍浸入水中，看着它们发出嗤嗤的白气，取出，在砺石上擦拭，再洗净。如此反复。久之，大缸里的水早已浑浊不堪，但是镔铁明亮的刃口，一点点地显现出来了。

纷纷扬扬的火星，从那炉子里迸将出来，又在他面前飞舞，偶然燎到人身上皮毛衣装，发出一种特有的臭味，一度，这气味使他联想清河王府那晚的劫难。眼前，一切却是安宁的，火光和平，人声细悄。他慢慢停止了手头的工作，感到倦意慢慢袭来，在寒风中下意识地缩紧了身子。他不再关心工匠们的劳作，而是一意注视那明亮的炉膛，久而久之，一切又演成了万佛洞中的模样，幻化出他熟悉的，又不可名状的各样色的形式来。他忽然忆起那日在郭欢那里所见到的，也是眼下交替出现的，只是和大山的轮廓叠在一处。无论它们来自哪里，都在印证着冥冥中某种神秘的存在。

他想象着，山的彼面，一定有一位幻师在搬演着眼前这一幕幕，就像初到之日，他在洛阳看到的鱼龙之戏，都是一两个人在手中操纵——从主使者那一边望去就真相大白，而观众席中，他们无论辛劳、嬉笑、悲恸、自得，从舞台另一侧看起来，都如此滑稽、愚蠢。他丢下目前的人群，仰头向高天望去，想要看到什么奇迹，和这眼前不同……天啊，尽管毫不引人注目，当真有一颗彗星在那里，就和那日在铸像的工场看到的一样。他凝视这颗星，在极细微的轨迹上，它缓缓移动，滑向不可知的暗处。他看看夜空，再瞧瞧火炉旁或寐或醒的伙伴，陷入了短暂的遐思。

——就在身边，有人已经鼾声大作了。或者是困乏已极，或者，已经失去了一切思想，总之，没人注意到头顶上发生的不寻常的一切。

一声凄厉的惊呼，教他们从沉思或睡梦中警醒。一个平素交好的胡人，突然从人堆里窜将出来，吓到了众人。他赤裸着上身，泪流满面，发出异乎寻常的悲声。谁也没有想到，他随后挥起一根铁链，开始不停地鞭着自己，就似疯了一般。鲜血从他的后脊上、前胸上汩汩地流淌下来，胡人好像没有疼痛的感觉，也没有罢手的意思。

大家面面相觑。在神都服役久的胡人，很多可以说些汉话，他们给同伴解释发生了什么，但是众人能够听懂的，也只有破碎的几个字——“不归”“大人之丧”云云。久之，大家也听出来了，他号哭中喊得最多的字眼，是他在朔方的本贯的名字，显然，是代迁入洛的那一批匠户。

有人告诉他们，代北部落的风俗，也是占筮预知一切凶吉。他倏然想起郭欢隐秘的爱好来，游牧人定是像眼前这样，喜欢以冶铸之中形成的花纹，判断诸事，从军国大计到身家性命。

——那么，刚才一定是个凶占了？

然而，这是在洛阳乱后，众人大多经历了破家丧亲的离难，还有什么，会比这个缺食少衣的冬天更无望呢？绝望之中不会有更深的绝望，他们，只是漠然地注视着眼前自笞的胡人，任他鲜血淋漓，并不为之所动。

不知过了多久，胡人耗尽了他的力气，虚脱倒在地上。噤声沉默的众人扫了兴，大感无趣，唏嘘之后，于是纷纷散去了。有好心人上去，用酒洗净他的伤口，帮他包扎，最后再帮他披上破烂的皮袍。他闭着眼睛，脸色铁青，一言不发，蜷缩在石壁一角，不知道是睡去，还是昏厥了。

此前看到这种奇景，他定会惊愕不解。如今，他仿佛也领会了这种狂乱背后的悲戚，胡人念叨的名字，不就是万佛洞所在的代都都畿的乡里吗？对于胡人而言，洛阳再好也是异地，在朔方，他心心念念想要逃离的，却是草原人的故乡。他们来自不同的方向，同样的离散，胡汉的人情之间，也未始有什么差别。只是如此多的怨懑，从斑驳血痕之中透露出来，怕正是光明游乐背后潜伏着的极大黑暗，也是洛阳的祸患所系——他，一直都是观望着这光明，未知吉凶。

不可预测的灾祸，就像永宁寺塔里最初的火星，不知会是从哪一个方向跌落繁华之中，又在昏睡的众人注视中，哔哔剥剥烧大起来的。现在，他好像忽然悟到了那把大火最初的来源。

经过这段意外的插曲，砰砰击打铁砧的声音沉寂了，只有一个年轻奴子，依然在有气无力地拉动皮橐，好维系炉中的火势不减。

不知过了多久，就连这个奴子也已经倦怠了。炉膛中的火焰一点点黯淡下来。终于，完完全全的黑暗到来了。

八

没有人知道王妃尸丧的下落，清河王的灵厝也从未被迁到邙山帝陵。就在邺城的郭欢如日中天的时候，西遁长安的皇室日趋式微，对他们来说，东边的洛阳毕竟路远偏置，又正当这四战之地的兵锋，接济的辎重，在半路时时遭乱军劫掠，因为害怕这些，渐渐地，连大大小小的谒陵人也不常有了。

于是，对于北邙墓冢的造作断断续续，不能再像盛时那般尽力投入。靠着代北皇室故地的供给，一度还有数十个工匠在邙山上役作，三个月下来，因为饮食不济，石料时时短缺，监工苛责诟骂，不断有工匠逃亡的事情发生，大半载过后，石室中的锤凿之声已稀疏了许多。

终于有一天，不再见有人上山传膳，工匠们都已尽数逃叛，监工不知去向，甚至那个一直在墓地上逡巡的守陵人也消失了，只有他，一个人，还痴痴地守在他最中意的石室中工作。一年以来，依仗其他工匠的帮助，王妃墓穴中石壁上，大多留缺处都已经补镌上图画，有赖巧手贴缀，连原先残破的地方，都看不出来。

只有墓主的图像依然空缺。他不动手，也不曾许别人在此多事。

——他依然不知道如何能表现那张脸庞，那不知是自己的妻子，还是那个只谋一面的神秘女子的仪容。原来，他以为，如同刘胡所说的那样，只要遁身到那透明石壁后面，便可以在那个彼岸世界中遇见王妃，看见他所求守的一切。那一切，就如万佛洞中无数次的注视中所感受到的那样。

然而，今天他已经完完全全迷惑了，他希望刘胡还在这里，好有个人，为他解说图画外的秘密。他感觉到，这个兰台灯转般的世界，甚至远没有万佛洞石壁上的那般简单。

直愣愣地，他端详着石室中刻意造作出的这座死人宅邸，本有和生人居室别无二致的室内构造，“窗外”有春花烂漫的世界，可他得到的讯息不再是先前那样了。在陵地的其他墓冢之中，“室内”一度更为繁复，有的棺床甚至围绕着缩小的双阙，好像说着死者的世界就是另一座化城，他/她的坐榻也就是这座城市的中心。这样的妙义，早先定会让他惊叹不已；可是，倏然一瞬，他觉得这些都索然无味。

是的，这些不过是暂时的止息之处罢了。

分明，那辽远弗届的风景不过是活人生造出的幻境，看上去，它将观者拉向一个重叠在生人世界上的世界，其实这石头就只是石头，就如一面明镜后面并没有躲藏着什么，人们一旦打破了他们沉浸的幻境，最终就什么也不会得到。他突然想到，这墓穴甚至也并不能算王妃在地下的“居所”，至多只是一个歇脚的亭驿罢了；生死之间的睽隔远甚于胡越，即便他的刀錾可以将王妃的形象从幽冥世界中唤出，至多，那也就是荒漠中的一点野火罢了，仿佛那夜在太极宫帷帐里隐约的光亮，它虽然志识着死者的存在，却无法真的使他们与生人相聚。

苦苦思忖间，没有几天，所有的烛火都将燃尽了，就像他的脑力也即将枯竭。积薪所剩无几，墓穴中变得无比寒冷，又一次，他打量着那无限春光的窗外幻境，它越发栩栩如生，生人世界却是如此讽刺的一片昏暗，他忽然悟到，这石壁环绕的黑暗墓穴，虽然予人以室内的印象，在死者而言，却是他们栖息的另一世界的“室外”，正如生人看画如同水中倒影，死人反过来看他们，也无非是些永不能沟通往来，只能电光石火中一见的幻影，两个世界，或者，根本就没什么可以周旋的语言——如此，那流利线条刻勒出的青阳幻境，并不直接投射出晦暗的幽冥世界，至多只是它的折光。

一连好几个日子，他水米不进，只是痴痴地打量着石壁，想着这些道理。在透明石壁后的那个幻觉世界中，他无拘无束地飞行，时而沉醉在万千想念之中，时而又降落在现境里，如同一堆破絮般松软，最终，还是一无所获。当夜幕降临，那些线条隐没在目前，他将心灰意冷，他的幻觉渐觉渐冷，却久久无法落入实在的梦境。

这一夜他特别烦扰，竟然早早地睡去了。

九

他在睡梦中遽然惊醒。

河水泛着粼粼的金光，披染着河心如茵的芳洲，宛如珠翠，洒落在一团锦缎上，映得那座空城格外侈丽。他认得，那是洛阳城南的洛水之汭，好久前，他在午后去过那个地方，登临高阁。那一刻，城市在河水的倒影里缓缓地摇动，芳草上有人踏歌舞蹈，在那里他瞥见过自己最想看到的那个人的身影。可是，这时他睁开眼睛，目前不是白日丽景，而是黄昏时分的落霞，天色将近全墨，如晦的风雨，正在天边静悄悄地卷积，渐渐，云朵都变成古铜般了，云朵摧压在深黄黑快看不出形状的雉堞上。

没一会儿，远方的天空就一片漆黑了，一切沉寂，静得可怕，只有偶尔让他辨认出前行方向的微光。洛阳消失了，连带着它周遭的风景也遁入无形，前方，仅仅剩下数条巨大的河流纵横交错，他顺着河流的方向跌跌撞撞地走去，深一脚浅一脚地，像是又走入了一座深不可测的园林中，前方却没有丝毫楼阁树木的形迹。

刹那间，闪电在天空划过，他突然瞥见，洄澓的急流中影影绰绰地满是浮沉波动的人形，载沉载浮。再一次剧烈的闪光中，他看清了那些人形或衣不蔽体，或赤裸裸地满身青瘀，或举体都是恶疮毒疖。他们全都浑身湿透，面色青白，目光迷茫，陷没在傥莽无边的大水之中。他依稀听见他们的呼喊。汹涌的涛声中，这片段的呼喊就像是广大的宇宙里的一颗流星，消失，沉如永劫不复。

不知过了多少时间，所有的巨涛粉碎为涓滴，怒海静默下来成了溪流，所有可憎可怖的幻影都在他心头沉寂，然而，这一刻，他心中不知道是和平沉静还是无边的苦楚，空寂中虽然没有半分言语，可是整个死者的世界似乎都与他同在，古往今来的百亿亡灵，忽然攫取到他这样一个依然温软而散发着热意的形体，都争先恐后地把自己的讯息掷向高空，想要和他相遇，相知。百亿个声音同时在冥冥中升起。

兰芝，兰芝！

从那百亿个嘈杂烦嚣的讯息里，竟是如雷霆万钧一般，他捕捉住了那一种对他来说是无比熟悉的呢喃。他的手轻拂过她的颊，他的下颌温存地蹭着她的颈项，他的臂弯环绕她柔软的腰肢，他火热的下体紧紧地贴紧她同样火热的小腹。就在那情爱欢愉的须臾，空中忽然有巨大的炬火升起，金色的光焰从他们置身的河流两侧，照亮了无限浩淼的万千世界，原来这百亿魂灵所据有的世界也不过是渺茫时光中的一瞬，在无端生起的同时，它眼看着就将幻灭于无形。

在这烈火焚身的一刻，他只是睁大了眼睛，想看清楚她乳边究竟有没有那颗红痣，她的眼眶里是不是还转动着他无比熟悉的那双浅褐色的瞳仁。在这电光石火的造次，他感觉自己有了一千年的形象，看见了一千年的人事，然而，黑暗的怒潮比一千年的时光更加汹涌，他在那潮头翻涌，任凭波涛起伏，像一片败叶在毁灭的狂风中飞舞——终于，还是无可奈何地败下阵来。

他竟然什么也没看见。

魂灵是没有形体的，在那永恒流转的世界里，他不过是个瞎子。

兰芝在地下一定非常寒冷吧。刻完这墓中的图像，或许还能为她造些功业，免脱她些许荡涤于玄流的痛楚——如今，在这了无生趣的人间，他竟只剩下了这唯一的信念，他太息一声，对着那终是同样无生趣的石头。

十

他又刻将下去。

在他挥舞的凿錾下，王妃和婢女们的面容慢慢变得清晰，耀熠石室的灯火却已极其微弱了。昏黄的辉光下，他不再困扰于石壁后的幻觉，她们款款的脚步，只是停留在铁钎下面的石层上而已，随着剥落的石屑，一个又一个人物顾盼着，欢笑着，仿佛是在庆贺挣脱出石壁囚笼的时刻，又不过如此——他是如此熟练，几乎不假思索，这一切的形象，无非是“自己”成就了自己。

可是劳作间，那个执拗的存想，依然萦绕在他的心头：他唤醒的这些形象究竟是为了什么呢？在真实的世界里，那一个个身影走不多远，便在火光中，血路上偃伏了，消失不见。她们的忧戚纷纷飘零，渐又变得与他无关，目力疲冷画面黯淡的时候，他才再一次看见了黑色石壁里的大千世界，那些形象沉寂了，像归笼的鸟兽一般蠕动着，直到完全静止。随着手中凿錾的移动，现在那世界和他之间有一层水晶般透明的隔阂，随着刻刀的用力，这透明晶莹的闪耀与流动，每每饱满得欲胀裂开来。它后面的那个世界，随着光与影的跃动，像是黄昏返照的水面一刻不停地幻灭着，只是，永远也不能给他一个确定的讯息。他几欲一跃而入这世界之中，求得永远的解脱，可这滑冷、坚硬又致密的石头表面，就连一个孔洞也不曾给他留下。

他又注视面前那两柱间的石壁上，自己初来时看到的“出行图”，想着他刚刻下的画面和它的关联。在这里，贵人们的身影远去了，她们身后的“出行”，他看懂了，分明是乡村葬礼出殡的场面啊。没有华丽的伞盖流苏，只剩下一辆牛车，拖曳着死者朴素的棺木，穿行在三月的春野之中，一行身着丧服的人，手挽车辕，沿路号哭，旁观的人大多神情哀戚。唯可奇怪的，混杂在他们中间，却有一个小女孩，旁边似是她的母亲，两人脸上竟露出喜悦的神色。而在这一切的后方，两男子正趺坐在芳草之间，一边举杯宴饮，一边在棋枰上落子手谈，他们神色自若，似乎对这一切无动于衷——无论是贵人们泰然的行止，送葬者恸绝的表情，还是母子俩欣悦的神色，在他们眼中就像是并不存在。

而从他这一侧看全体的画面，无论是那半张着嘴的哭丧者，还是手持棋子正待落下的对弈者，或是那奇怪地咧着嘴的小女孩，他们的动作都像是凝结在一个永恒的瞬间里了，像是亘古以来便是如此，也永远不会结束。

这画中的一切栩栩如生，没错，他们是活着，永远地等待着“变化”的下一刻。

可是，他却死了。

他惊恐地扭过头来去，不敢再看那画面，眼光却意外地扫到侧室石壁上的小龛，一尊他从未注意到的小像。他和那不起眼的小像四目注视，忽看到石像的一侧眼窝已空了，另一只眼窝里，还残存着一只玛瑙雕凿的眼珠。

一只透明清澈的、琥珀色的眼珠。

就在这注目的片刻里，他忽然似是悟到了一切。那些片段，一点点地在他的脑海中转过，就好像石壁上的画面已刻入他的玄府，当他不再能看到目前，倒有另一只眼睛，从他的内心深处，睁大了，反而把最幽穷的地方都看个通透。

阿秀和王妃都有的一对琥珀色的眸子……

《地狱轮回图》中那惊恐奔亡，却没有面容的女子……

那黑衣少女柔和安详的眼神……

黑暗的幽冥世界中，兰芝那不见形影的亡灵，从不可知的深处上行，向他叙说着：

你来找我的时候，你分当看得见，我是深褐色的瞳仁……

——他竟一把丢开了刻刀。

不知过了多少时间。他已经走出了墓穴，将他身后的一切弃之不顾了，他骑上一头蹇驴，由森森的邙山大道悠然出行。墓穴之外天气和暖，使人心下宽慰几分，但冬天并没有完结，荒野上还是青黄不接的时节，灰白的天色下，土黄色的蒿草随北风不住摇摆，长草之间，夹杂着依稀的几丘坟头。

他打荒丘旁慢慢驶过，不住地举目向前方打望。不知怎的，来时的道路却找不到了。

“可知如何向洛阳去？”

“洛阳呢？”

他满心焦虑。明明，大道上迎面而来的每个人都看得见他，听得到他不安的问询，可是，对面的人却是视而不见，听而不闻。不见谁是丧主，甚至也不见棺柩，没有什么奉终之具。这些人只是哀切地唱道：

荒草何茫茫，
白杨亦萧萧！
严霜冬月中，
送我出远郊。

天地间一望寂寥，偶值行旅，也是垂头丧气地走着，地平线上，只看得见稀稀拉拉小小的黑点。他的心中有一丝疑惑，一丝恐慌：洛阳是沦丧了，一切都付之泡影。冬末初春了，却再没有农人耕作，这城市如何还能挨得过来年？

在就近的视野中，却有两个人，静默在天地之间，似乎和这一切都没有干系。一个女童怔怔地朝这边望着，却不是打量他。他下意识地回过头去，身后枯黄的田野里，脚下，是一具人偶摔断在田塍上，小小的胳膊，腿脚散落一旁。女童走近，蹲下，凝视着破碎的人偶，俄而，迸发出一阵撕心裂肺的哭泣，这让人揪心的哭声，流荡在朔风中，良久；终于，另一个年纪轻轻的女子，似乎是已经做了母亲，她听到声音，扔下手中的铁镰，从数丈远的蒿草中直起身，三步两步跑过来，有说有笑地安慰她的女儿。

“莫哭……莫哭……阿姆明日做一个新的给你就是了！”

他伫立在大道上，久久打量这女子的身影。妇人不似寻常，戴着冠帽，却穿着小襦袄。

他怔住了，她察觉了，蓦地转过身来两人相视，这年轻母亲竟是洛阳少女阿秀，那日在清河王府中被朱屠户猥亵的她……她好像认出来他，口中喃喃自语，可是眼神已经不再清亮，像是疯了。

又一行人，唱着哀歌从大道上走过，在他们近旁，女童兀自哭着，女子兀自笑着，瞧也不再瞧他一眼。这时，又有两个男人由远方走近了，和送葬的行列擦肩而过。他们看到眼前这悲恸的一幕，又注意到震惊的他，于是走近来，也发觉了田头埂上的小小事故，两人的神色却都平静，只是不住地摇头着，轻叹着。

这两人其中的一个，不正是他初来洛阳时，在广阳门外遇到的那位天竺幻师吗？

另一人峨冠博带，手中持着一柄麈尾，俨然一位风度翩翩的名士。

"唉，真是尘心似土！天蓝如许，风景不殊，哭哭啼啼做什么？"

随着话音，那名士把目光投向天空，刹那间，原本灰白的天空突然变得湛蓝，风止了，天晴了，只是转眼工夫，那哭泣的小女孩便沐浴在三月般和煦的春光中。经此变故，她和她的年轻母亲都抬起了头，惊诧地看看天，又望向来人。

"正是，你们何意哭泣？"

和那面无表情的名士不同，天竺幻师眉头紧锁，话语中流露出一丝关切，说话间他蹲下来，仔细打量着地上摔坏的人偶，煞有介事地摩挲了片刻。

三个人蓦地发现那人偶竟是完好如初。

在他们的身后，名士的声音又讥讽地响起：

“愚人常惑于幻景，是耶，非耶！”

那天竺幻师悲悯地注视着喜笑颜开的小女孩，片刻，转身，他向着名士答道：

“先生所言极是——出处成异，终期必同！不如我们手谈一局吧。”

他们在田埂旁的土垄上坐下，不知从何处取出一方棋盘，一本正经地对弈起来，这两人四周并没有轻裘软榻，有的不过是些荆棘野草，瓦砾牛粪，而这两人却怡然沉醉在面前的纹枰里，目不斜视，似乎是流连在佛国仙乡……他急急趋前，涉过荒草，越过他们身前的半截朽墙，迫不及待地向他们打听：

“两位高人，请问如何向洛阳去？”

“洛阳在何处？这与我何干？”

“求你！我的兰芝还在洛阳！”

幻师似是不经意地用手一指：

“就在此下！”

十一

佛说化城……

这一片荆棘之中并没有幻化出杰阁凌云……举首不见，

他疑惑地低下头来，重又转向身后的对弈者，两人却再也不向他多瞧一眼。他在这朽墙前流连良久，土垣上残存的白色石灰和朱红图案，让他在一瞬间想起了逝去了的时光，他心念及此，原本光秃秃土垣的近旁，造次开满了紫色的黄色的无名小花。

洛阳就在脚下，这脚下的荒野即是洛阳了。

他是有多愿意在这春光中永远地驻留啊。再也不想回到那北风呼啸的昏暗世界中去了，可是，一切，看到的和想到的，又是如此自相矛盾，如此让人充满了“变动”的预感，使人心中悬侧。

在这似乎将永远持续下去，没有片处阴影的春天里，“洛阳”确确实实在脚下，可“洛阳”也已经不复了。一个丢弃在路旁的石刻螭首，一块只残存十之二三的佛头，上面还有稍许的金箔粘连，一件横卧在土坎上的绿色琉璃鸱尾，不知是从哪座辉煌高岸的殿宇上跌落，而眼前这道浑浊的水沟，分明就是永宁寺前曾青槐垂映的明河。

在那依然照得见影子的河水旁，他情不自禁地垂下头来，向水中的自己望去。他惊惧地发现，自己已经老了，老得那般不堪入目。在河水倒映中的他，银色的鬓发变得零落稀疏，而离家时尚是青春的容颜亦已衰朽。自从万佛洞中的时光，他曾有困惑、惊惧、屈辱，以及种种思虑，却少有悲从中来，因为他心无所嫌，分明已没剩下什么可资忧伤了。

而这一次，他居然情不自禁地流下一滴泪来。

而且，那一滴泪居然在他的脸颊上停住，再也不向下流动了。

在这时间停顿的须臾，他突然想起了多少事情，也明白了多少事情。他感受自己苦涩嘴角的刹那，也就仿佛看见佛的微笑，正绽开在无边际的金色光明中，而那弥漫的，像是永宁寺塔里满壁的金箔所散发出的熠熠光亮，像极了青阳幻境中的春光，他意识到这一切的发生其实并不是“一辈子”，最多也就是“一刹那”，或是佛的短短念想间。但仅仅这一点念想，就足以幻化出无尽的人事，和无数或苦痛或欢愉的俗世情怀了。

在他视线里的远方，他分明也看见了一切，看见了所有他刻画过的世间情态：那哀歌不绝的一行人正是壁画里牛车出丧的出殡队伍，而石壁上那两个执棋对弈，举杯宴饮的男子，也就在眼下这真切的视界中——终于，他明白了这令他困惑的一切。

——原来自己竟然是在“画”中啊。

他遽然醒悟，自己其实早已经“死”去了，竟也不知道是在什么时候，或许惨死于被北兵掳去的路上，或许是逝去在洛阳的“此生”之前？只是这“死”并不是出脱一切的纵身一跃，而是无边无际的一种存在，他不光是“死”了，他原本就“活”在一个幻化出的世界里，这个世界的一切变故，一切沉浮，就全如霓虹蜃景，来去无踪，不可捉摸。

忽然，他又无比惊惧地想到，自己的兰芝不会也是一场美梦吧。其实这苦难的今生今世才是真实，而一切甜蜜的温存的热切的情爱才是幻梦泡影。石头中的这世界，其实当他在舞，在歌，向天呼号，于观者所见，不过是个停滞无生气的世界。

只是，谁在挥动刻刀？是他，还是冥冥中那只看不见的手？

2001 年初稿于芝加哥

2006 年二稿于麻省剑桥

2019 年再改于深圳

2022 年改定于清华园

洛阳 Circa 2000（代后记）

我其实早已不觉得，一定得给创作作品写个什么“前言”或者“后记”。但是这部小说对我而言太过特殊，有必要在这里对读者有个交代。

为什么对洛阳有种特殊的感情？这要追溯到1999年，我在芝加哥大学巫鸿老师那里念书的时候，选了一门他的课，题目就叫作“洛阳公元500年左右”（Luoyang Circa 500 A.D.）。那一年，我刚去美国留学不久，谷歌和华为都立足未稳，世贸大厦仍然好好地在那儿站着，不知为啥手机却是努力在向小型化方向发展，和今天截然相反——世界大事像中国的房价一样即将风起云涌，我却浑然不知，一头扎进了故纸堆。对我来说，“洛阳公元500年左右”也是我的“公元2000年左右”。

之前对于北朝的历史并不是全然陌生，但在北美重温洛阳的城市和艺术，则是另外一种语境了。对于大多数到美国只是为了开洋荤的中国学子而言，到美国学中国，简直是“莫名其妙”。我虽然深爱中国文化，毕竟，那个时代，对于不知博物馆为何物的三线城市少年来说，古代洛阳，佛教艺术，乃至于南北朝的墓葬，这些也属于“莫名其妙”。

这门课属于“研讨课”（Seminar），导师仅仅提供大题目、大方向，还有方法论的指导，学生们需要自己提出问题，然后在大量阅读中寻找自己的答案。为了使得自己更充分地“浸入”，我还选了巫老师涉及北朝艺术的专题，以及另一门东亚系的课，讨论中国古代文学中的“鬼”——外加旁听俞国藩教授的“中国古代宗教”。芝加哥大学的学期短，十个星期就要提交课程报告，在洋人大学的科系里，紧锣密鼓地面对如此多的中国话题，在留美十年里也算是少见了——尤其这几门课有个共性，题目不仅是“外国”（相对于美国而言）的，“古代”的，还是有关幽冥世界的，我们这些未知（西洋的）“生”的留学生，倒先在图书馆里“死”了一把。

那时候，正值壮年的我，并未对真实世界中的生死和人情有过太多切身体验，我也不止一次地吐槽过，这种纯然依赖文化想象的心智生活，可能带来另一种“真实”的缺失。但无论如何，当时，我是想以这种方式进入古代人的观念世界的。虽然我不确定这种研究和我未来的生活有什么关系，在图书馆中，我总会努力待到午夜才回家去休息，所浏览的不外是考古发掘报告、墓志拓片、墓葬平面图之属，它们既不都是现代人心目中芳香的“美术”，也难免枯燥，常让我读得时空倒错。

所幸，图书馆外还是有很多有意思的东西吸引我的。就算是“学术修道院”，没有围墙的生活本身并不分“内”“外”，艺术史毕竟也还有很多具体而微的“物质文化史”的层面。最好的，是我们有一间精选的艺术阅览室“Art Reserve”，除了老师指定的读物，在那里还有很多非此不能看到的珍稀图书和精美画册，品质之精，内容之广，从那以后都没在其他地方遇到过。有时，我情不自禁地离开了本题，去翻看围绕那个时代文物主题的画片。虽然大多数书未必关于洛阳，但是它们却为我打开了一扇更广大的中古世界的大门，那些墓志、地图所记叙的世界不再那么抽象了，看累的时候，我抬起头来，就看见身边的玻璃罩里一尊北宋风格的石质佛头，金彩无存，但依然朝着我熠熠生辉地微笑。

这就是我的“洛阳Circa 2000”。

刚开始，我好生奇怪这门课为什么叫“Luoyang Circa 500 A.D.”。这样一个课题的名字简直称不上名字，甚至有点敷衍了事，洛阳的公元500年，算是它的“万历十五年”吗？

后来我才知道，对洛阳而言，这是个特殊的年份，494年，孝文帝把国都自代北的平城迁到洛阳，不仅是北魏的统治者面对着巨大的变革，中国历史也迎来了一个特殊的转折时刻。在传统历史观中，孝文帝的汉化改新是“进步”的，促进了民族的融合，在客观上，却加速了这个王朝的覆亡，短短三十余年，汉魏洛阳城就匆匆地走向毁灭，并且从此一蹶不振。我们将要研究的，正是这段短促的，却又如星云般灿烂的洛阳的最后时光，在那段时间里，宗教被提升到至高无上的、足以使人迷狂的地位——在世俗的中国城市生活中，这是难见的高光的一瞬，启人想象。

1999年我还没有去过洛阳。在此之前，就算是那些可以称得上“历史城市”的空间中，我甚至也不曾留意过“看不见的历史”或者是“普通人的历史”——对一个还很年轻的人而言，混迹在现实的中国城市的十丈红尘中，微薄的旧痕实在是算不上有吸引力，对于庸常的生活而言，那种历史缺乏即时的、实在的意义，是我竭力想远离的对象；即使有那么一星半点的“古迹”，对于广大的“现代”的系统，也不过是汪洋大海上漂浮的一点残骸罢了。

现实中的洛阳是废墟，在空间和时间上都很遥远的北美，“古代”却忽然变得丰满而完整了。原本只是零星的物件和遗迹，不算太多的专门研究著作，都自动连缀，组合成整体的洛阳，好像传说中它的开阳门楼柱天外飞来，不再受到彼时已在高速发展的中国现实的影响。这一切，可能还要拜修学条件太好的芝加哥大学所赐，它无须为有关遥远“古代”的课程预设什么中心思想，就像他们教授柏拉图、普林尼一样……大学只是冷不丁地把一座宝库“掼”到你的桌上，那几架子书虽然不能算是应有尽有，但几乎可以和北大图书馆阅览室里的信息量相当（当时，在北大还没有办法去大库自己选书）。这些书，毕竟都是有眼力见的人细细斟酌、悉心采配的——尽管阅览室里运行着最新的苹果电脑，真正愿意在这里面壁的毕竟是少数，大多时候，图书馆里没有什么“现代”的动静，“古墓派”的人们大可以独自入定，洛阳的大和小，结构和细节，逻辑与光彩，都一起涌到你的面前，自动汇成一座神话般城市的光泽与影像。

何况，关于那个洛阳，我们还有一本如此精彩而又奇特的“城市文学”著作：《洛阳伽蓝记》。

用一本书写尽一座城市原本是不容易，甚至不可能的。但是杨衒之，站在洛阳的废墟上追怀往事的北魏时人，做到了。他的空间同时也包含了时间，结构串起了故事，它们分别是“城市文学”这张华美织毯的经线和纬线。今天研究北魏洛阳的学者常常引用这本书讨论文化史，实则它的记述也有夸大乃至神异之处，但是对我而言，《洛阳伽蓝记》足够丰厚和真实了。它有关一种难得被系统记录下来的城市历史的“心理传记”，不仅有坐标方位，还有具体的故事情节。拿今天的比喻来说，就好像一整套摄像头所拍摄的各个角度的城市监控资料，在其中有着复合的、多层面的意义，难以为一般的历史叙事所尽道。

比如，大多数讨论汉魏洛阳的人都会想到永宁寺著名的九层佛塔。高达“九十丈”（一些论者认为，这个数字可以折算成现代的一百四十米），顶上有十丈高的金色刹竿，合计离地一千尺，在距京城百里之外已能遥遥望见。《洛阳伽蓝记》用一系列的数字，不遗余力地描写这座塔的高大，比如，刹竿上有容量达二十五斛的金宝瓶，孝昌二年（526）狂风，宝瓶被刮落在地，竟然“入地丈余”，由此可见塔得有多大，佛塔赖以传声的金铃，每一个都如小口大腹的陶瓮。佛塔九层，每一转角都悬有金铃，上下一百三十枚。佛塔四面，每面三门六窗，门上各五行金钉，全部加起来有五千四百枚金钉……作者最后的总结，含有我们今天还在使用的一系列成语：

“（永宁寺塔）殚土木之功，穷造形之巧，佛事精妙，不可思议。绣柱金铺，骇人心目。至于高风永夜，宝铎和鸣，铿锵之声，闻及十余里。”

不惮其烦的铺陈既是歌咏曾经存在的，也是叹惋已然消逝的，这座神话般的高塔仅仅存在了十六年左右，它失火的时候，当时的“消防队员”完全无能为力。当你看到这一段的时候，一定会突然醒悟，这段历史文本正是基于一种“过去完成时”的黑色视角。想到中国式怀古都是这种“过去完成时”，往往都对应着“荆棘铜驼”式的不祥的预言——早在杨衒之之前，就有索靖站在洛阳宫门之前，指着宫门前的铜驼感叹说："会见汝在荆棘中耳！"

相比如此蔚为奇观的古代的文字，永宁寺塔，就像洛阳一样，剩下的也就只有记述在考古报告中的残砖碎瓦了。我在寂寞的图书馆中大呼精彩的同时，又不免掩卷叹息……

当我出门去，汇入大街上享受现代生活的红男绿女时，我又好像回到了另一个"洛阳"之中，只不过其间有着某种让人错乱的"时差"——图书馆里，理应是回到了不甚可见的魔性的"过去"，但晨钟暮鼓的哥特式校园背后的地平线上，芝加哥市中心蔚为壮观的摩天大楼也同样是奇迹般地升起，好似历史摇身一变"回到未来"——更不用说，这历史、现实和未来之间的穿越感，还含有不同文明发展程度的"时差"。要知道在那一年，北京的天际线尚没有发展成今天的模样。实际上，正值世纪之交，我们在经历一个精彩程度不遑多让的历史转换的时刻，我们感受到了它实际的温度，有时就缺乏足够宏观的反思。

对于同样"不可思议"的资本主义世界大城市的景观，初到美国的我，还在缓慢的适应过程中，我对它的迷恋超过了任何批判性的思考。好在，倒也不是所有的美国人对此都缺乏警醒，记得同一年，我们的建筑课老师讲解《癫狂的纽约》(*Delirious New York*)这本书时，第一个问题，就是请学生们实际计算一下，假如帝国大厦内的人员需要疏散，该花多少时间？也就是九十九层的人要下九十八层楼梯，九十八层的人要下九十七层……

那座大胆的，只能造不能救的永宁寺塔，在它付之一炬时，也该有这样的算术题啊。

“不可思议”的，除了人为的奇观之外，同样涉及具体的人情。美国这样一个久未经患难，又是建立在大胆的革新和投机上的国度，大家想的都是“一万”，其实没有多少人在乎“万一”——更没有人在乎“其兴也勃焉，其亡也忽焉”这样的丧气话。纽约客由此和洛阳人有了某种共同的心理基础，无论多大的千古兴亡的话题，当它最终落实在“城市”这样具体的事物上面，并且同样被非常的语境所推动时，“故事”比“事实”要来得重要了，“故事”和“故事”之间，比“事实”和“事实”之间有更多的相似之处。

在黑暗中注视着大街上的灯火，我下意识地感到，面前这我尚不能充分理解的异国都市的生活，和书本里的洛阳之间，也许竟然有一条神秘的时光隧道相连？

现实和过去之间，或者故事与故事之间，它们赖以连接的桥梁不是宏阔的议论，只能是更直观的东西，是可以和普通人生活对接的尺寸、触觉和感情。在那门课众多的讲授、讨论和汇报之中，我唯独记住了我的一位女同学使用的一方墓志：难免雷同的文字里，记载了一个年轻的母亲对她早殇幼子的悲恸，使我在昏昏欲睡之中，忽然感受到了什么清晰的讯息。后来，我在汉魏洛阳太极宫考古工地的现场，还亲眼看到了一具小小的孩儿棺，或许是一种特殊的厌胜之术的道具，奇怪地累压在北魏末期的地层上。

也就是那时候，我第一次浮现出写一部小说的念头，我要写一个古代的工匠，在标准格式的学术论文之余，补足论文里不能看见的他的心理活动。在某种意义上，这种心理活动，也就像是一面怀着创造的喜悦，一面在现实压力中苦苦补缀功课的"我"的心理活动。

洛阳"曾经"的如何如何，也可能是明天所断言的"现在"的如何如何，"过去完成时"也联系着"将来完成时"。就像我们无法想象古代洛阳的壮丽，"现在"也将变成我们有朝一日无法想象的废墟，我们不知"现在"将往何处去，也正如古代洛阳人不可能预知竟会有我们这样的子孙，在北美安静的大学里读着有关他们的故事。唯一可以肯定的是，就是万千个"现在"也终将变成无法挽救的荆棘中的"过去"，高歌猛进的历史会有着不甚连续的时刻——"将来完成时"的预言和"过去完成时"的追忆仿佛两面相对而立的镜子，镜子之中无穷叠映出的是城市生生灭灭的宿命，以及普通人无尽的叹息。

从那一刻起，我突然觉得我算是第一次懂得了"历史”。对我而言，洛阳不再是一个仅仅有着石窟和牡丹的旅游地了，它着实是一座古代的城市，但也以某种形式“活”在我们中间。有关洛阳的古代文学作品不再是修辞的俗套，它记录的是具体的、可感的空间中的某一刻，即使依托它的物质载体已全然消失，你依然可以从种种痕迹中嗅到熟悉的气息，因为那也就是我们自己生活的气息。只不过这种生活并不完全是平凡的，而是充斥着各种“异国情境”——恰好，我们也就生活在这样一个时代，这样一个异乡，同时被平庸、迷信和奇观所折磨。

于是，在2001年，新千年的开始，当我在电视屏幕上看到，纽约（后来我也搬家去了那里）的世贸大厦崩塌的躯体像雨点一般砸落下来，我竟然在第一时间想起了洛阳，想起了永宁寺塔。

于是，我第一次有了去洛阳考察的机遇，那也是公元2000年后不久。其实，公元500年，六世纪的开始，那个“整数”的年份，对古代中国人原本是没有意义的。但是，由于以上某种冥冥中的心会，它们的实质相去并不远，既是因为围绕着那几年发生的一系列重大的事件，也是源于时间循环里产生的奇怪的“既视感”。

在现实中的洛阳，一个普通的三线工业城市，在匆匆的走访中，我深刻地意识到了时间所带来的丧失，“天津桥上繁华子”的风景早不复了，昔日的掖庭美人，变成了粗服乱头的村姑。一切一切的落差，比想象中的还要巨大——但是对于想要“体验”历史，而不仅仅是去描摹事实的人，这种落差又是如此恰到好处。

从毕业以后，我写作历史论文的愿望已经不那么迫切，但写作一部类似小说的种种构想，就像古代洛阳一样在我的脑海中变得逐渐清晰——第一稿很快写就了，但艰难的修改持续了很长时间。我意识到，无论如何，我不可能真正地复原想象中的那一个古代，因此，我选择了第三人称来贯穿这部小说的始终。但是，在枯燥的日常生活中，每每我看到熟悉的洛阳，同时看到辉煌的城市和灰暗的街区，同时听到礼赞和哀歌，我写作时的“第三人称”，有时候难免会变成“第一人称”。

同样地，我个人的生活经历了种种变化，新涌入的观察和心得，使我时时有种想把全篇推倒重来的想法，最终，这部小说是从最初的那个不成熟的版本——“洛阳Circa 2000”——改写而至的，它除了对于过去的世界是种追溯，对于我二十年前的那段人生也是。这种关系是如此复杂和紧张，也许以后类似的情况不再会发生。

我不一定会把我的这部小说称作“历史小说”。

2019年10月2日